D1327127

Cuisine des étudiants

Correspondance des mesures

100 g = 3,5 onces (oz)
1 kg = 2,2 livres (lb)
100 ml = 0,42 tasse ou 3,5 onces liquides (oz liq)
1 cuil. à café = 5 ml
1 cuil. à soupe = 15 ml
95 °C = 200 °F

Cuisine des étudiants

Sommaire

Introduction   6

En-cas   10

En un tour de main   42

Fin de mois   80

Petits plats de toujours   106

Occasions spéciales   140

Fêtes et amis   164

Petites douceurs   200

Index des recettes   238

Introduction

Ventre affamé n'a pas d'oreille pour les profs

Qui a envie de manger tous les jours au Resto U ? Les pizzas finissent aussi par lasser. La seule solution, c'est de sortir ses casseroles – avec nos recettes, faire la cuisine n'est pas difficile, le résultat est bien meilleur que la nourriture du Resto U et même le plus petit appart' d'étudiant a suffisamment d'espace pour s'y faire à manger. Avec des ingrédients simples, on arrive à produire en un tour de main de petites merveilles pas chères, qui tiennent au ventre pendant les cours, font la joie des colocataires et rappellent aussi parfois les saveurs de l'enfance.

Ce livre de cuisine compact propose aussi bien des en-cas pour les petites faims que des recettes rapides, même pour les jours de stress. Pour les occasions spéciales, vous trouverez aussi des idées de recettes dans ce livre – de temps en temps, sortir de l'ordinaire fait du bien. Les recettes d'aujourd'hui et d'hier, celles que chacun connaît depuis toujours, sont tout autant un must que des plats savoureux, simples et abordables pour les grandes tablées et les fêtes. Le chapitre contenant des suggestions particulièrement bon marché permettra de ménager le porte-monnaie quand il se vide en fin de mois. Des idées fantastiques de desserts et de biscuits permettront de s'accorder des petites douceurs.

Pour que faire la cuisine reste un plaisir et ne se transforme pas en stress, il est important de bien planifier ses achats et ses réserves, plus qu'on ne pourrait le croire. Il est bon d'établir une liste de courses structurée afin de ne rien acheter d'inutile. Le mieux est de penser pratique au moment de faire vos achats, cela vous épargnera ensuite des opérations inutiles dans la cuisine : les grosses pommes de terre s'épluchent plus vite que les petites, le riz précuit, le couscous ou la polenta sont prêts en 5 à 10 minutes et on trouve partout du jambon ou du lard découpés en dés.

Si, en outre, vous avez toujours les aliments de base suivants en réserve, vous avez déjà tout le nécessaire pour préparer de nombreux plats.

Réserves sèches

Farine, semoule, couscous, différents types de pâte, riz, riz au lait, flocons d'avoine, lentilles, chapelure, fécule, gélatine, noix, sucre, sucre en poudre, sucre vanillé, levure chimique

Conserves (bocaux et boîtes)

Sauce tomate, purée de tomate, thon, filets d'anchois, lait de coco, haricots rouges, pois chiches, maïs, olives, asperges, pêches, ananas

Epices, herbes aromatiques et graisses

Sel, poivre, curry, paprika, noix de muscade, thym séché, romarin, origan, persil (surgelé), ciboulette (surgelée), beurre, huile d'olive, huile de tournesol

Produits laitiers et œufs

Lait, lait UHT, crème liquide, crème sûre, crème fraîche, fromage frais, fromage de type feta ou mozzarella, fromage blanc, morceau de parmesan, œufs

Fruits et légumes

Citrons non traités, assortiment de baies (surgelées), épinards (surgelés), petits pois (surgelés), brocolis (surgelés), oignons, ail, pommes de terre

Poisson et viande

Filet de poisson (surgelé), filet de saumon (surgelé), crevettes (surgelées), escalope de poulet (surgelée), viande hachée (surgelée)

Divers

Vinaigre, pesto, moutarde, concentré de tomate, bouillon de légumes, bouillon de poule, Tabasco, raifort, sauce de soya, mayonnaise, miel, chocolat

En-cas

Galette
aux légumes variés

Pour 1 personne

1 jeune carotte

½ courgette

25 g de haricots princesse

25 g de céleri

Sel

Poivre

2 c.s. d'huile d'olive

½ c.s. de yaourt nature

½ c.c. de moutarde

1 c.c. de vinaigre

1 c.c. de cerfeuil frais haché

1 c.c. de persil frais haché

¼ de galette

Quelques feuilles de salade

Préparation : 20 minutes
Par portion : 677 kcal/2843 kJ
P : 22 g, L : 15 g, G : 110 g

1 Enlever les parties abîmées des légumes et les laver, éplucher le céleri et tout détailler en fins bâtonnets. Blanchir environ 5 minutes dans de l'eau bouillante salée. Jeter l'eau, laisser égoutter et refroidir.

2 Mélanger les autres ingrédients pour faire une sauce et la verser sur les légumes refroidis. Ouvrir la galette au milieu, la garnir des feuilles de salade et des légumes.

Petit-déjeuner anglais
aux saucisses et au bacon

Pour 2 personnes

½ c.s. d'huile

4 saucisses, par ex. de Nuremberg

4 tranches de bacon

2 œufs

Préparation : 10 minutes
Par portion : 305 kcal / 1 281 kJ
P : 22 g, L : 23 g, G : 1 g

1 Réchauffer l'huile dans une poêle antiadhésive. Cuire les saucisses de tous les côtés. Ajouter le bacon et le faire cuire jusqu'à ce qu'il soit croustillant.

2 Pour terminer, casser les œufs et les cuire également à la poêle sous forme d'œufs miroir. Et si cela n'est pas encore assez british, réchauffer des haricots en boîte et manger avec du pain de mie grillé.

Conseil : une saucisse comporte 30 % de graisse. C'est beaucoup. Quand on en consomme souvent, les livres superflues ne se font pas attendre ! Pourtant, la plupart des gens ont du mal à y renoncer totalement. L'alternative, ce sont les variantes végétariennes à base de soja. Souvent, elles ne sont pas non plus vraiment pauvres en graisses. Conclusion : mieux vaut se faire plaisir de temps en temps avec un vrai petit-déjeuner anglais. Il reste alors sans conséquences indésirables !

Toast aux pâtes,
au salami et au jambon

Pour 2 personnes

½ oignon

50 g de salami fin

50 g de jambon cuit

100 g de spaghettis cuits

5 olives vertes farcies

1 c.s. de beurre
ou margarine

1 c.s. de concentré
de tomate

Sel

1 pincée de sel d'ail

Poivre

½ c.c. d'origan

1 c.s. de persil haché

60 g d'emmental râpé

4 tranches de pain de mie

Olives et ketchup pour garnir

Préparation : 15 minutes
(plus temps de cuisson)
Par portion : 590 kcal/2480 kJ
P : 30 g, L : 27 g, G : 62 g

1 Eplucher l'oignon et après le couper en petits dés. Débiter le salami et le jambon en petits dés. Hacher grossièrement les spaghettis. Hacher menu les olives.

2 Réchauffer la matière grasse dans une poêle. Y faire revenir brièvement les dés d'oignon. Ajouter le salami, le jambon et les spaghettis et cuire le tout.

3 Ajouter les olives, le concentré de tomate, un peu de sel et les épices aux pâtes. Incorporer le persil et la moitié du fromage pour terminer.

4 Griller le pain de mie, le placer sur la tôle du four et répartir dessus la préparation, puis saupoudrer du reste de fromage.

5 Faire gratiner les tranches de pain aux pâtes 4 à 5 minutes sous le grill préchauffé. Les décorer d'olives coupées en deux et de ketchup avant de servir.

Burger de millet
à l'aneth

Pour 1 à 2 personnes

½ oignon

½ gousse d'ail

½ carotte

½ poireau

1 c.s. de beurre

60 g de millet

125 ml de bouillon de légumes

Sel

Poivre

Poivre de Cayenne selon le goût

¼ c.c. de marjolaine séchée

1 œuf

Chapelure pour lier

½ botte d'aneth frais haché

Graisse végétale pour la friture

Préparation : 20 minutes
(plus temps de cuisson
et de repos)
Par portion : 253 kcal / 1062 kJ
P : 10 g, L : 9 g, G : 29 g

1 Éplucher l'oignon, l'ail et la carotte, enlever les parties abîmées du poireau, laver, tout hacher finement et cuire légèrement dans le beurre chaud en tournant. Laver et égoutter le millet. L'ajouter aux légumes et poursuivre la cuisson.

2 Verser le bouillon de légumes, ajouter les épices et la marjolaine en tournant. Cuire le mélange environ 10 minutes. Laisser gonfler 20 minutes sur le feu éteint. Ajouter l'œuf.

3 Lier au besoin la préparation à la chapelure, ajouter l'aneth. Former des petits burgers et les dorer dans la graisse bien chaude.

Bâtonnets de mozzarella
aux herbes

10 bâtonnets

1 œuf

125 g de chapelure

½ c.s. d'origan séché ou de basilic séché

½ c.s. de persil frais haché

¼ c.c. de sel d'ail

75 g de farine

15 g de fécule

1 ½ mozzarella

Huile à frire

Préparation : 15 minutes
(plus temps de friture)
Par bâtonnet : 187 kcal / 785 kJ
P : 7 g, L : 10 g, G : 16 g

1 Battre l'œuf dans une tasse et battre dans un saladier avec 25 ml d'eau. Mélanger dans une seconde tasse la chapelure, les herbes et le sel d'ail, puis dans une troisième la farine et la fécule.

2 Bien égoutter le fromage et le sécher en tamponnant, puis le découper en bâtonnets épais.

3 Porter l'huile à 170 °C dans la friteuse ou une grande casserole.

4 Passer d'abord les bâtonnets dans la préparation à l'œuf, puis dans la chapelure et pour terminer, dans le mélange farine-fécule.

5 Frire dans l'huile bien chaude environ 30 secondes jusqu'à ce qu'ils soient bien dorés, égoutter sur du papier absorbant et les servir avec une sauce salsa ou un dip.

Barres de muesli
aux fruits secs

Pour 5 à 10 barres

15 g d'amandes

15 g de cacahuètes

15 g de graines de tournesol

30 g d'abricots secs

15 g de pruneaux

½ pomme

40 g de farine

40 g de flocons d'avoine

1 ½ c.s. d'huile de colza

25 g de raisins secs

1 pincée de sel

½ c.s. de miel

1 pincée de cannelle

Matière grasse pour la tôle du four

Préparation : 25 minutes
(plus temps de cuisson et de refroidissement)
Par barre : 96 kcal/403 kJ
P : 3 g, L : 4 g, G : 12 g

1 Hacher les amandes, les cacahuètes, les graines de tournesol et les fruits secs. Eplucher la pomme, retirer le cœur et râper. Mélanger la farine avec les flocons d'avoine, 125 ml d'eau, l'huile et les ingrédients restants et pétrir pour obtenir une pâte ferme.

2 Étaler la pâte sur une tôle graissée et cuire environ 30 minutes au four préchauffé à 180°C (chaleur tournante, à 160°C). Découper en barres tant que la pâte est chaude. Puis laisser refroidir.

Bâtonnets de sésame
au miel

Pour 5 à 6 bâtonnets

125 à 140 g de sésame

50 g de miel

½ c.c. d'amaretto

5 à 6 oublies

Préparation : 15 minutes
(plus temps de cuisson et de
refroidissement)
Par portion : 144 kcal/604 kJ
P : 3 g, L : 10 g, G : 8 g

1 Moudre fin 100 g de sésame et mélanger au miel et à l'amaretto jusqu'à obtention d'une préparation ferme. Si elle manque de fermeté, rajouter du sésame.

2 Sur un plan de travail, abaisser la préparation sur les oublies à une épaisseur d'environ 1,5 cm, saupoudrer du reste de sésame et cuire 10 à 15 minutes à 180°C au four préchauffé (chaleur tournante, à 160°C).

3 Découper la pâte encore chaude en bâtonnets d'environ 1 cm d'épaisseur, puis laisser refroidir.

Crudités
et trempette

Pour 1 à 2 personnes
1 branche de céleri
1 courgette
2 carottes
¼ de concombre
½ poivron rouge
1 endive

Trempette
50 g de crème fraîche
1 c.s. de jus de citron
1 c.s. de raifort frais râpé
½ c.c. de miel
Sel
Poivre
1 c.s. d'herbes aromatiques
variées, fraîches et hachées

Préparation : 20 minutes
Par portion : 172 kcal/722 kJ
P : 5 g, L : 8 g, G : 16 g

1 Enlever les parties abîmées des légumes, éplucher les carottes et le concombre, rincer le reste des légumes, épépiner le poivron, détailler les légumes en fins bâtonnets. Couper l'endive en deux et enlever le cœur amer. L'effeuiller.

2 Pour la trempette, mélanger la crème fraîche et le jus de citron jusqu'à obtention d'une préparation lisse, ajouter le raifort et le miel. Assaisonner au sel et au poivre et saupoudrer d'herbes aromatiques.

Œufs brouillés
à la courgette et au poivron

Pour 2 personnes

1 courgette

250 g de poivron rouge

1 c.s. d'huile

3 œufs

1 c.s. de fromage râpé

Sel

Poivre

1 c.s. de margarine

2 tranches de pain complet

1 c.s. de ciboulette coupée

Préparation : 20 minutes
Par portion : 223 kcal/936 kJ
P : 16 g, L : 13 g, G : 22 g

1 Enlever les parties abîmées de la courgette, la passer à l'eau et la couper en petits dés. Couper les poivrons en deux, les épépiner, les rincer et les détailler également en dés.

2 Chauffer l'huile et y cuire les légumes 5 à 6 minutes, mettre à égoutter dans une passoire et refroidir.

3 Bien mélanger les œufs et le fromage. Ajouter les légumes, bien mélanger et assaisonner de sel et de poivre.

4 Chauffer la margarine dans une grande poêle. Verser la préparation aux légumes et aux œufs et laisser prendre à petit feu. Remuer régulièrement pour rendre la préparation moelleuse.

5 Disposer les œufs brouillés sur les tranches de pain, garnir de ciboulette et servir immédiatement.

Salade tonique
aux pousses de soja

Pour 2 personnes

100 g de salade frisée

½ botte de radis

100 g de pousses de soja

2 c.s. de graines
de tournesol

¼ botte de ciboulette

¼ botte de persil

2 c.s. de vinaigre aux herbes
aromatiques

Sel

Poivre

3 c.s. d'huile de colza

Préparation : 25 minutes
Par portion : 152 kcal / 638 kJ
P : 5 g, L : 12 g, G : 3 g

1 Enlever les parties abîmées de la salade, la passer à l'eau, puis à l'essoreuse et la détailler en fines lanières. Préparer les radis, les rincer et les découper en tranches très fines.

2 Blanchir les pousses de soja à l'eau bouillante salée et égoutter. Faire griller à sec les graines de tournesol dans une poêle antiadhésive jusqu'à ce qu'elles soient dorées et laisser refroidir sur une assiette.

3 Passer les herbes aromatiques à l'eau et les sécher en tamponnant. Ciseler la ciboulette. Effeuiller le persil et hacher les feuilles. Mélanger le vinaigre avec le sel et le poivre, puis ajouter l'huile.

4 Placer les composants de la salade dans un saladier. Verser la marinade et mélanger, puis rectifier l'assaisonnement.

Salade de betterave rouge
au raifort

Pour 1 à 2 personnes

150 g de betterave rouge

½ pomme

Jus de ½ citron

1 c.s. de crème au raifort

1 c.s. de vinaigre de vin rouge

3 c.s. d'huile végétale

½ c.s. de moutarde

Sel

Poivre

1 c.s. de graines de tournesol

Préparation : 20 minutes
Par portion : 205 kcal/861 kJ
P : 3 g, L : 13 g, G : 16 g

1 Éplucher la betterave rouge et la pomme, râper la betterave rouge, couper la pomme en dés et arroser de jus de citron. Placer dans un saladier, réserver quelques morceaux de pomme pour la décoration.

2 Faire une sauce avec raifort, vinaigre, huile, moutarde et épices et en assaisonner la salade.

3 Griller les graines de tournesol dans une poêle sèche et les distribuer sur la salade avec les morceaux de pomme restants.

Petit pain complet
et jambon de dinde

Pour 1 personne

Pour la mayonnaise

Zeste et jus de 1 orange non traitée

5 c.s. de mayonnaise du commerce

½ piment sec

Sel

1 petit pain complet au sésame

2 c.s. de mayonnaise à l'orange et au piment

2 feuilles de radicchio

40 g de jambon de dinde en tranches fines

4 quartiers de mandarine en boîte

Préparation : 15 minutes
Par portion : 364 kcal / 1528 kJ
P : 16 g, L : 18 g, G : 35 g

1 Mélanger le zeste et le jus d'orange à la mayonnaise. Ecraser le piment au mortier et l'ajouter. Saler.

2 Couper le petit pain en deux. Tartiner les deux moitiés de la mayonnaise à l'orange. Poser les feuilles de salade sur la moitié inférieure. Poser le jambon de dinde dessus et garnir des mandarines. Recouvrir de la moitié supérieure du petit pain.

Panés de poisson
à la salade

Pour 2 personnes

¼ de concombre
1 pomme
3 carottes
1 botte de persil
1 boîte de maïs
1 c.s. de vinaigre
2 c.s. d'huile
Sel
Poivre
1 pointe de moutarde
Jus d'un citron
20 g de beurre
10 poissons panés

Préparation : 20 minutes
(plus temps de cuisson)
Par portion : 580 kcal/2436 kJ
P : 29 g, L : 25 g, G : 59 g

1 Enlever les parties abîmées du concombre, de la pomme et des carottes et les passer à l'eau. Débiter le concombre en dés, éplucher la pomme, retirer le cœur et couper la chair en tranches. Éplucher et râper les carottes.

2 Rincer le persil, bien le secouer et le hacher. Placer le maïs dans une passoire et égoutter.

3 Préparer une vinaigrette à partir du vinaigre, de l'huile, du sel, du poivre et de la moutarde. Ajouter ensuite le concombre en dés, les tranches de pomme, les carottes râpées et le maïs.

4 Arroser la salade d'un peu de jus de citron et saupoudrer de persil.

5 Faire fondre le beurre dans une poêle et cuire le poisson selon les indications du paquet.

6 Arroser le poisson pané du reste de jus de citron et servir avec la salade.

Salade de pommes de terre
à la roquette et aux lardons

Pour 1 à 2 personnes

100 g de roquette

2 pommes de terre cuites
en robe des champs

50 g de petits pois en boîte

½ gousse d'ail

2 c.s. d'huile de tournesol

3 c.s. de vinaigre de vin
blanc

Sel

Poivre

50 g de lard fumé

2 tranches de bacon

Préparation : 20 minutes
(plus temps de cuisson)
Par portion : 215 kcal/903 kJ
P : 9 g, L : 7 g, G : 25 g

1 Laver et bien secouer la roquette, puis la débiter en lanière. Éplucher les pommes de terre et les couper en dés. Égoutter les petits pois. Éplucher et hacher la gousse d'ail. Placer les composants dans un saladier.

2 Mélanger huile, vinaigre et épices et verser sur la salade. Couper le lard en dés et faire rissoler dans une poêle avec les tranches de bacon. Répartir sur la salade pour terminer.

Petit pain à l'avocat
et à la tomate

Pour 1 personne

1 petit pain aux graines de
tournesol

15 g de beurre

1 c.s. de purée de tomate

¼ d'avocat

1 c.c. de jus de citron

3 tranches de concombre

2 tranches de tomate

2 radis

1 c.s. de persil frais haché

Préparation : 10 minutes
Par portion : 790 kcal/3318 kJ
P : 12 g, L : 67 g, G : 36 g

1 Couper le petit pain en deux. Mélanger le beurre
et la purée de tomate et en tartiner les deux moitiés. Couper l'avocat en lamelles et l'arroser de jus
de citron.

2 Garnir la moitié inférieure des tranches de concombre et de tomate, puis des lamelles d'avocat. Hacher les radis et les répartir sur le dessus
avec le persil. Recouvrir de la moitié supérieure du
petit pain.

En un tour de main

Pizza au pain suédois
et aux légumes

Pour 2 personnes

50 g de champignons
de Paris

½ poivron vert

1 petite tomate

Papier sulfurisé pour la tôle
du four

4 tranches de pain croquant
suédois rond

15 g de beurre à tartiner

½ boîte de tomates à pizza

1 c.s. d'huile d'olive

50 g de tranches de fromage

Préparation : 15 minutes
(plus temps de cuisson)
Par portion : 278 kcal / 1 168 kJ
P : 10 g, L : 18 g, G : 18 g

1 Frotter les champignons au chiffon humide et les couper en lamelles. Couper le poivron en deux, l'épépiner, le passer à l'eau et le détailler en lanières. Laver la tomate et la couper en rondelles.

2 Garnir une tôle de papier sulfurisé. Tartiner le pain croquant de beurre et le poser sur la tôle du four.

3 Répartir les tomates à pizza sur les tranches, puis garnir des champignons, du poivron et des tomates et arroser d'huile.

4 Râper grossièrement le fromage et en saupoudrer les tranches. Gratiner 10 minutes la pizza au pain suédois au four préchauffé à 200°C (chaleur tournante, à 180°C).

Pennes
à la sauce de légumes froide

Pour 1 à 2 personnes

1 poivron jaune

½ piment rouge

½ concombre

1 oignon

1 gousse d'ail

200 g de tomates

2 tranches pain de mie

2 c.s. d'huile d'olive

Sel

Poivre

1 c.s. de vinaigre de vin rouge

200 g de pennes

2 c.s. de persil frais haché

Préparation : 20 minutes
(plus temps de cuisson)
Par portion : 520 kcal / 2 184 kJ
P : 17 g, L : 9 g, G : 89 g

1 Préparer le poivron et le piment, les rincer, éliminer les graines et les couper en dés. Éplucher le concombre, peler l'oignon et l'ail, retirer le pédoncule des tomates, les peler et les épépiner. Réduire en purée les légumes avec le pain de mie et l'huile d'olive, puis saler, poivrer et ajouter le vinaigre.

2 Pendant ce temps, cuire les pennes selon les directives de l'emballage, jeter l'eau, mélanger à la sauce de légumes froide et saupoudrer de persil.

Hamburger
très classique

Pour 2 personnes

300 g de viande de bœuf haché

25 g de flocons d'avoine

Ketchup

1 c.s. de lait

½ c.s. de moutarde

1 petit œuf

Sel

Poivre

¼ c.c. d'origan

1 c.s. d'huile

½ oignon

2 petits pains à burger

1 c.s. de beurre

Préparation : 15 minutes
(plus temps de cuisson et grill)
Par portion : 533 kcal / 2 237 kJ
P : 37 g, L : 28 g, G : 34 g

1 Mélanger la viande hachée, les flocons d'avoine, 1½ c.s. de ketchup, le lait, la moutarde et l'œuf et bien malaxer. Saler, poivrer et ajouter de l'origan.

2 Façonner 2 burgers de même taille. Chauffer l'huile dans une poêle, saisir les burgers des deux côtés à feu vif, baisser le feu et poursuivre la cuisson environ 7 minutes.

3 Peler l'oignon et le couper en rondelles. Peu avant la fin du temps de cuisson, déposer celles-ci sur les burgers et cuire rapidement.

4 Couper les petits pains en deux et les tartiner de beurre. Les dorer au grill. Placer un burger dans chaque petit pain, garnir de rondelles d'oignon et servir avec du ketchup. Décorer de tranches de tomate et de feuilles de salade au choix.

Tagliatelles
au pesto

Pour 1 à 2 personnes

2 c.s. de pignons de pin
½ botte de basilic frais haché
1 gousse d'ail hachée
50 ml d'huile d'olive
50 g de parmesan frais râpé
150 g de tagliatelles
Sel
1 c.s. de beurre

Préparation : 15 minutes
(plus temps de cuisson)
Par portion : 690 kcal / 2898 kJ
P : 19 g, L : 44 g, G : 52 g

1 Griller et hacher les pignons de pin. Passer au mixeur avec basilic, ail, huile d'olive et avec parmesan.

2 Pendant ce temps, cuire les tagliatelles al dente dans de l'eau salée selon les indications de l'emballage. Jeter l'eau et égoutter. Fondre le beurre dans une poêle, verser les pâtes et tourner dans le beurre. Incorporer le pesto.

Conseil : le pesto peut se préparer avec divers ingrédients. Au lieu de basilic, on peut utiliser de l'ail des ours ou du persil. Par ailleurs, les olives, les tomates séchées ou les champignons se prêtent aussi à la fabrication du pesto. En prendre 50 à 75 g à chaque fois.

Soupe froide
au yaourt et au concombre

Pour 1 à 2 personnes

2 ciboules

½ concombre

Sel

250 g de yaourt grec

1 pincée de sucre

Poivre

1 c.s. de jus de citron

¼ c.c. de piment de Cayenne

½ botte d'aneth frais haché

100 g de saumon fumé

Préparation : 20 minutes
(plus temps de dégorgement)
Par portion : 191 kcal/802 kJ
P : 15 g, L : 8 g, G : 11 g

1 Peler les ciboules et les couper en fines rondelles. Éplucher le concombre, le couper en deux, l'épépiner et le débiter en petits dés. Saupoudrer de sel et laisser dégorger un moment. Jeter le liquide rendu.

2 Dans un saladier, lisser le yaourt. Ajouter les dés de concombre, les ciboules et les autres ingrédients, à l'exception du saumon, et bien relever la soupe. Découper le saumon en lanières et le dresser sur la soupe.

Hot-dog au fromage

Pour 2 personnes

50 g de mixed pickles
½ petit oignon rouge
½ tomate
½ de botte de cerfeuil
2 hot-dogs
2 petits pains à hot-dog
4 tranches de fromage

Préparation : 15 minutes
(plus temps de passage au grill)
Par portion : 209 kcal/876 kJ
P : 10 g, L : 7 g, G : 26 g

1 Égoutter les mixed pickles puis les hacher menu. Peler l'oignon et le couper en petits dés, laver la tomate, retirer le pédoncule et couper en dés. Laver le cerfeuil, bien le secouer et le hacher. Mélanger le tout aux mixed pickles.

2 Faire griller les hot-dogs ou les réchauffer à l'eau bien chaude. Couper les petits pains dans le sens de la longueur. Placer 1 hot-dog et 2 tranches de fromage dans chaque petit pain et placer sous le grill pour faire fondre.

3 Pour terminer, répartir le mélange de pickles sur le fromage et refermer le petit pain.

Boulettes aux champignons
et aux herbes aromatiques

Pour 1 à 2 personnes

150 g de champignons variés

2 c.s. d'huile végétale

2 échalotes hachées

1 gousse d'ail hachée

1 petit pain de la veille, trempé

75 ml de lait

200 g de diverses viandes hachées

1 œuf

¼ c.s. de persil frais haché

¼ c.s. de thym frais haché

¼ c.s. de ciboulette

Sel

Poivre

Préparation : 15 minutes
(plus temps de cuisson)
Par portion : 445 kcal/1869 kJ
P : 27 g, L : 30 g, G : 15 g

1 Eplucher les champignons, les rincer et les hacher. Les faire revenir dans 1 c.s. d'huile bien chaude avec les oignons et l'ail. Former ensuite une pâte avec la mie du pain dont on aura extrait l'excédent d'eau et les autres ingrédients.

2 Chauffer le reste d'huile. Former des boulettes de viande et les cuire sur les deux faces jusqu'à ce qu'elles aient une belle croûte dorée.

Brochette de poulet
aux amandes

Pour 1 personne

150 g de filet de poulet

Sel

Poivre

1 c.s. d'amandes hachées

¼ de céleri

2 c.s. d'huile d'olive

100 ml de bouillon de poule

2 c.s. de fromage râpé frais

Préparation : 15 minutes
(plus temps de cuisson)
Par portion : 357 kcal / 1 499 kJ
P : 43 g, L : 18 g, G : 5 g

1 Passer la viande à l'eau, la sécher en la tamponnant et la débiter en cubes. Saler et poivrer et passer dans les amandes.

2 Enlever les parties abîmées du céleri, l'éplucher et le couper en dés. Enfiler le céleri et la viande sur deux brochettes en alternant. Dans une poêle, les saisir environ 3 minutes à l'huile bien chaude sur tous les côtés.

3 Mouiller au bouillon de poule et cuire les brochettes à petit feu 10 minutes environ. Les saupoudrer de fromage et laisser fondre à couvert.

Gratin de macaroni
au jambon

Pour 2 personnes

250 g de macaronis

Sel

100 g de jambon cuit

50 g de gouda

125 g de sauce béchamel
(prête à l'emploi)

75 ml de lait

100 g de fromage fondu à la
crème

Poivre

Graisse pour le plat

1½ c.s. de ciboulette ciselée

Préparation : 15 minutes
(plus temps de passage au four)
Par portion : 840 kcal/3528 kJ
P : 42 g, L : 33 g, G : 92 g

1 Cuire les pâtes al dente dans une grande quantité d'eau bouillante salée, jeter l'eau et égoutter.

2 Préchauffer le four à 225 °C (chaleur tournante, à 200° C). Couper le jambon en dés, râper le gouda. Amener la sauce béchamel à ébullition avec le lait, incorporer le fromage fondu, éventuellement saler et poivrer. Dans un plat graissé au préalable, faire alterner une couche de pâtes et une couche de jambon, arroser de sauce entre les couches.

3 Pour terminer, verser le reste de sauce sur le plat, saupoudrer de gouda râpé et faire gratiner 20 minutes à four chaud au 2ème niveau à partir du bas. Servir saupoudré de ciboulette.

Escalope panée
classique

Pour 2 personnes

2 escalopes de porc

Sel

Poivre

2 c.s. de farine

1 œuf

50 g de chapelure

1 ½ c.s. d'huile végétale

1 citron non traité

Préparation : 10 minutes
(plus temps de cuisson)
Par portion : 362 kcal / 1520 kJ
P : 35 g, L : 9 g, G : 31 g

1 Placer l'escalope sous un film alimentaire et bien la battre pour l'aplatir, saler et poivrer.

2 Placer la farine, l'œuf battu et la chapelure dans 3 assiettes différentes. Passer l'escalope tour à tour dans la farine, l'œuf et la chapelure.

3 Chauffer l'huile dans une poêle et cuire les escalopes 4 à 5 minutes sur les deux faces, laisser bien dorer.

4 Laver le citron à l'eau très chaude et le couper en rondelles. Dresser les escalopes avec les rondelles de citron. Servir des quartiers de pommes de terre en accompagnement.

Riz minute
aux tomates

Pour 2 personnes

125 g de riz longs grains

Sel

250 g de tomates cerises

½ boîte de maïs

1 à 2 ciboules

½ botte de persil plat

40 g de beurre

20 g de fromage à pâte dure râpé

Poivre

Préparation : 25 minutes
(plus temps de cuisson)
Par portion : 488 kcal/2044 kJ
P : 11 g, L : 21 g, G : 61 g

1 Cuire le riz dans de l'eau salée comme indiqué sur l'emballage. Laver et sécher les tomates, les couper en deux ou en quatre. Égoutter le maïs.

2 Enlever les parties abîmées des ciboules, les passer à l'eau et les couper en fines rondelles. Rincer le persil, bien le secouer et le hacher.

3 Égoutter le riz et faire fondre le beurre dans une poêle. Placer le riz dans la poêle et cuire à feu vif. Ajouter les ciboules, le maïs et les tomates, cuire le tout environ 5 minutes.

4 Pour terminer, ajouter le fromage râpé et le persil. Saler et poivrer avant de servir.

Soupe aux épinards
à l'épeautre vert

Pour 2 personnes

25 g d'épeautre vert séché

½ oignon

½ c.s. d'huile de tournesol

250 ml de bouillon de viande instantané

60 ml de lait

150 g d'épinards surgelés

100 ml de lait caillé

½ c.c. de fécule

Sel

Noix de muscade râpée

Préparation : 10 minutes
(plus temps de trempage et de cuisson)
Par portion : 152 kcal/636 kJ
P : 7 g, L : 6 g, G : 14 g

1 Faire tremper l'épeautre vert dans 150 ml d'eau pendant la nuit.

2 Éplucher l'oignon et le couper en petits dés. Mettre l'épeautre dans une écumoire et récupérer l'eau de trempage.

3 Chauffer l'huile et faire revenir l'oignon. Ajouter l'épeautre et faire cuire environ 3 minutes à l'étouffée en tournant.

4 Verser l'eau de trempage, le bouillon et le lait dans la casserole et cuire la préparation environ 20 minutes à petit feu.

5 Ajouter les épinards qui se décongèlent dans la soupe. Amener à ébullition et remuer de temps à autre.

6 Mélanger le lait caillé et la fécule et verser dans la soupe aux épinards pour la lier. Amener à ébullition. Saler la soupe et ajouter de la noix de muscade.

Poêlée de légumes
à l'œuf

Pour 2 personnes

250 g de champignons de
Paris

125 g de carottes

125 g de poireau

50 g de jambon cru en
tranches fines

15 g de beurre ou margarine

Sel

Coriandre moulue

2 gros œufs

125 ml de crème liquide

Poivre

½ botte de ciboulette

Préparation : 20 minutes
(plus temps de cuisson)
Par portion : 475 kcal / 1997 kJ
P : 22 g, L : 36 g, G : 7 g

1 Éplucher les champignons, les frotter au chiffon humide et les couper en deux. Enlever les parties abîmées des carottes et les éplucher, enlever les feuilles jaunies du poireau et le laver. Emincer carottes et poireaux en fines rondelles. Détailler le jambon en lanières étroites.

2 Chauffer la matière grasse et y faire revenir le jambon. Ajouter les champignons et les carottes et cuire le tout 5 minutes à l'étouffée. Verser le poireau et cuire rapidement. Assaisonner de sel et de coriandre moulue.

3 Battre les œufs, la crème, le sel et le poivre et verser sur les légumes.

4 Laisser prendre 8 à 10 minutes à température moyenne. Laver la ciboulette, bien la secouer et la ciseler. En saupoudrer la poêlée.

Conseil : la ciboulette est idéale pour agrémenter de nombreux plats. Elle est très appréciée, pas uniquement à titre de décoration, mais aussi pour ses vertus apéritives. La ciboulette est riche en sels minéraux et a une forte teneur en vitamine C. Il est donc bon de toujours en parsemer les plats une fois qu'ils sont prêts. La cuire lui ferait perdre beaucoup de vitamines. La ciboulette pousse très bien sur le balcon ou dans le jardin.

Spaghettis à la farine complète
au brocoli

Pour 1 à 2 personnes

375 g de brocoli

200 g de spaghettis
intégrales

Sel

½ gousse d'ail

2 c.s. d'huile d'olive

1 cm de gingembre frais
haché

¼ c.c. de sambal oelek

1 c.s. de vinaigre de vin
blanc

Poivre

Sucre à discrétion

½ botte de coriandre fraîche
hachée

1 c.s. d'huile de sésame

Préparation : 15 minutes
(plus temps de cuisson)
Par portion : 460 kcal/1 932 kJ
P : 18 g, L : 8 g, G : 75 g

1 Préparer le brocoli, le passer à l'eau, détacher en petits bouquets. Faire cuire les pâtes dans de l'eau bouillante selon les indications de l'emballage. Ajouter le brocoli 5 minutes avant la fin de la cuisson. Éplucher et hacher l'ail.

2 Chauffer l'huile dans un wok et y faire revenir rapidement l'ail. Égoutter les spaghettis et le brocoli et les verser dans le wok. Ajouter les autres ingrédients à l'exception de l'huile de sésame et de la coriandre. Rectifier l'assaisonnement. Saupoudrer de coriandre et arroser d'huile de sésame.

Galettes rapides de poisson
à l'aneth

Pour 2 personnes

½ oignon

½ botte d'aneth

½ petit pain

50 ml de lait

250 g de filet de poisson (cabillaud, sébaste atlantique, saumon sauvage, etc.)

1 œuf

2½ c.s. de miettes de pain sec

Sel

Poivre

1 pincée de noix de muscade

1½ c.s. d'huile de colza

Préparation : 15 minutes (plus temps de cuisson)
Par portion : 249 kcal / 1 045 kJ
P : 28 g, L : 9 g, G : 13 g

1 Peler l'oignon et le hacher menu. Laver l'aneth, bien le secouer et le hacher finement. Faire tremper le petit pain dans le lait.

2 Rincer le filet de poisson à l'eau courante froide, le tamponner et le couper en dés d'environ 1 cm. Placer les dés de poisson, l'œuf, l'oignon et le petit pain trempé dans un récipient haut et réduire en purée au mixeur plongeant.

3 Ajouter les miettes de pain pour épaissir la pâte. Incorporer l'aneth et bien relever la préparation avec sel, poivre et un peu de noix de muscade.

4 Chauffer l'huile dans une poêle antiadhésive. Façonner des galettes et les faire dorer des deux côtés à température moyenne en 10 minutes environ.

Paupiettes de dinde
au pesto

2 personnes
2 escalopes de dinde
75 g de pesto (en pot)
1 c.s. d'huile d'olive
60 ml de bouillon de
légumes
Quelques feuilles de basilic

Préparation : 5 minutes
(plus temps de cuisson)
Par portion : 212 kcal/890 kJ
P : 37 g, L : 4 g, G : 4 g

1 Battre les escalopes pour qu'elles soient bien fines et les enduire de pesto. Rouler la viande et la fixer avec des bâtonnets en bois.

2 Chauffer l'huile dans une poêle et bien saisir les paupiettes de dinde sur toutes les faces. Verser le bouillon et poursuivre 12 minutes la cuisson à petit feu jusqu'à ce que les paupiettes soient cuites.

3 Découper les paupiettes en tranches et les servir décorées de basilic. Accompagner de pain frais et d'une salade.

Velouté de carotte
au gros lait

Pour 2 personnes

250 g de carottes

250 ml de bouillon de viande instantané

125 ml de lait

90 ml de gros lait

Poivre

Sel

1 c.s. de persil haché

Préparation : 15 minutes
(plus temps de cuisson)
Par portion : 586 kcal/140 kJ
P : 9 g, L : 6 g, G : 9 g

1 Préparer les carottes, les éplucher et les couper en grosses rondelles.

2 Faire bouillir 125 ml de bouillon, y plonger les carottes 10 à 15 minutes jusqu'à ce qu'elles soient tendres. Réduire en purée fine au mixeur ou au mixeur plongeant.

3 Replacer la purée dans la casserole, additionner du reste de bouillon de viande et du lait et faire bouillir.

4 Réserver 1 c.s. de lait caillé. Verser le reste dans la soupe. Poivrer et saler.

5 Dresser la soupe. Lisser le reste de lait caillé et le verser au centre. Saupoudrer de persil.

Conseil : la couleur rouge-orange des carottes provient surtout du carotène, un colorant naturel qui est en même temps la provitamine de la vitamine A. La vitamine A est liposoluble et importante pour la peau.

Omelette
aux champignons de Paris

Pour 2 personnes

200 g de champignons de Paris

½ oignon

½ gousse d'ail

½ c.s. d'huile de colza

4 œufs

50 ml de lait

Sel

Poivre gris fraîchement moulu

¼ de botte de ciboulette

2 c.s. de crème fraîche

Préparation : 15 minutes
(plus temps de cuisson)
Par portion : 272 kcal / 1 142 kJ
P : 19 g, L : 20 g, G : 3 g

1 Éplucher les champignons de Paris, les frotter au chiffon humide et les couper en deux ou en quatre selon la taille. Peler l'oignon et l'ail et les couper en dés très fins.

2 Chauffer l'huile dans une poêle antiadhésive. Dorer les champignons sur toutes les faces. Ajouter l'oignon et l'ail et les faire revenir rapidement. Sortir la moitié des champignons de la poêle. Battre les œufs et le lait. Saler et poivrer. Verser la moitié du mélange aux œufs sur les champignons et faire prendre 8 minutes environ à chaleur moyenne.

3 Pendant ce temps, laver la ciboulette, la tamponner et la ciseler. Couvrir l'omelette pour les 3 dernières minutes de cuisson. Réserver l'omelette au chaud et en faire une seconde. Lisser la crème fraîche. Dresser les omelettes avec la crème fraîche et saupoudrer de ciboulette.

Conseil : l'omelette est également savoureuse avec des crevettes et de l'aneth. Il faut alors commencer par verser le mélange aux œufs dans la poêle. Répartir les crevettes sur l'omelette, puis saupoudrer d'aneth finement ciselé.

Fin de mois

Pommes de terre
et fromage blanc aux herbes

Pour 2 personnes

500 g de fromage blanc

125 ml de crème liquide

Sel

Poivre

½ botte de persil

½ botte de ciboulette

¼ botte de livèche

¼ botte de cerfeuil

500 g de pommes de terre

Préparation : 15 minutes
(plus temps de cuisson)
Par portion : 555 kcal / 2331 kJ
P : 41 g, L : 20 g, G : 50 g

1 Faire un mélange bien onctueux avec le fromage blanc et la crème liquide. Saler et poivrer.

2 Rincer les herbes, bien les secouer et les hacher menu. Les incorporer au fromage blanc. Réserver le fromage blanc 20 minutes puis rectifier l'assaisonnement.

3 Laver les pommes de terre et les cuire 20 minutes avec la peau dans de l'eau bouillante salée. Verser l'eau et servir avec le fromage blanc aux herbes.

Poêlée de légumes
au riz

Pour 1 personne

50 riz longs grains

Sel

1 oignon

½ sachet de légumes surgelés

1 c.s. de beurre

2 c.s. de cacahuètes grillées

50 g de jambon blanc

Poivre

1 c.s. de sauce de soja

Préparation : 10 minutes
(plus temps de cuisson)
Par portion : 511 kcal / 2 146 kJ
P : 24 g, L : 22 g, G : 54 g

1 Cuire le riz dans de l'eau salée selon les indications de l'emballage. Éplucher et hacher l'oignon. Décongeler les légumes.

2 Chauffer le beurre et y cuire rapidement l'oignon à couvert. Ajouter les légumes et cuire le tout 10 minutes à l'étouffée. Incorporer les cacahuètes.

3 Couper le jambon en dés, verser l'eau de cuisson du riz, ajouter le jambon et le riz aux légumes, mélanger et réchauffer. Assaisonner de sel, poivre et sauce de soja.

Fin de mois

Spaghettis
aglio olio

Pour 2 personnes

200 g de spaghettis

Sel

2 ½ pointes d'ail

½ botte de persil plat

¼ de piment doux frais

2 c.s. d'huile d'olive vierge extra

½ piment sec

Poivre

Préparation : 15 minutes
Par portion : 493 kcal/2070 kJ
P : 13 g, L : 18 g, G : 70 g

1 Cuire les spaghettis al dente dans de l'eau salée selon les indications de l'emballage.

2 Éplucher l'ail et le couper en fines lamelles. Passer le persil sous l'eau, le sécher et le ciseler finement, en réserver ½ c.s. Rincer le piment doux, l'épépiner et le découper en petits dés ou en fines lanières.

3 Réchauffer lentement l'huile dans une poêle et y saisir le piment doux 2 minutes. Ajouter l'ail et poursuivre la cuisson environ 1 minute. Veiller à ne pas faire roussir l'ail, sinon il devient amer. Passer le piment au mortier et l'ajouter.

4 Égoutter les spaghettis dans une passoire et ajouter aux autres ingrédients avec le persil. Bien mélanger, saler et poivrer et décorer du reste de persil.

Toast au thon,
aux tomates et au fromage

Pour 2 personnes

2 tranches de pain de mie

Beurre à tartiner

75 g de thon en boîte dans son jus

1 ½ tomate

2 tranches de fromage

Un peu de persil pour la décoration

Préparation : 10 minutes
(plus le temps pour gratiner)
Par portion : 353 kcal / 1 483 kJ
P : 14 g, L : 27 g, G : 14 g

1 Préchauffer le four à 225 °C (chaleur tournante, à 200 °C). Griller le pain de mie au grille-pain et laisser refroidir un peu. Tartiner d'un peu de beurre. Disposer les tranches de pain sur une tôle garnie de papier sulfurisé.

2 Verser le thon dans une passoire et égoutter. Rincer 1 tomate à l'eau, enlever le pédoncule et couper la chair en rondelles. Disposer le thon et la tomate sur les tranches de pain et garnir du fromage.

3 Enfourner la tôle à mi-hauteur et gratiner les toasts jusqu'à ce que le fromage ait fondu.

4 Passer à l'eau la demi-tomate restante et le persil puis les sécher. Décorer les toasts de la tomate coupée en huit quartiers et des feuilles de persil.

Röstis de légumes
au yaourt aux herbes

Pour 2 personnes

250 g de pommes de terre

400 g de carottes

1 botte de ciboulette

2 petits œufs

Sel

½ c.c. de curry

Poivre

Huile pour la poêle

150 g de yaourt

Préparation : 15 minutes
(plus temps de cuisson)
Par portion : 353 kcal / 1 482 kJ
P : 13 g, L : 16 g, G : 28 g

1 Préchauffer le four à 100 °C (chaleur tournante, à 80 °C). Éplucher les pommes de terre et les carottes au couteau économe, les rincer à l'eau et les râper grossièrement.

2 Passer la ciboulette à l'eau, la sécher et la ciseler.

3 Bien mélanger les pommes de terre, les carottes, les œufs, la moitié de la ciboulette et toutes les épices.

4 Chauffer un peu d'huile dans une poêle, former des galettes et les faire dorer. Conserver au chaud.

5 Mélanger le yaourt et le reste de ciboulette ciselée. Saler et éventuellement poivrer puis servir les röstis.

Pommes de terre en papillotes
au beurre de tomate

Pour 2 personnes

2 grosses pommes de terre non farineuses

½ gousse d'ail

½ petit piment rouge

2 branches de basilic

50 g de beurre ramolli

½ c.s. de concentré de tomate

Sel

Poivre

Préparation : 15 minutes
(plus temps de cuisson)
Par portion : 335 kcal / 1407 kJ
P : 4 g, L : 21 g, G : 31 g

1 Préchauffer le four à 220 °C (chaleur tournante, à 200 °C). Bien gratter les pommes de terre sous l'eau courante. Les piquer tout autour à la fourchette ou avec une pique en bois puis les envelopper chacune de papier aluminium bien serré. Enfourner les pommes de terre à mi-hauteur dans le four préchauffé et cuire 45 minutes à 1 heure.

2 Pendant ce temps, éplucher l'ail et le hacher menu pour le beurre de tomate. Rincer le piment, le couper en deux dans le sens de la longueur, l'épépiner et le hacher finement. Rincer le basilic à l'eau et le tamponner pour le sécher. Effeuiller les branches et ciseler.

3 Placer le beurre dans un bol. Incorporer l'ail, le piment et le concentré de tomate. Assaisonner avec sel, poivre et basilic.

4 Réserver le beurre de tomate au frais. Quand les pommes de terre sont cuites, les sortir à demi des papillotes, faire une entaille dans la partie supérieure et y placer 1 à 2 c.s. de beurre de tomate.

Pâtes au parmesan
et au beurre roux

Pour 2 personnes
200 g de pâtes rubans
Sel
50 g de parmesan
75 g de beurre

Préparation : 15 minutes
(plus temps de cuisson)
Par portion : 828 kcal/3466 kJ
P : 24 g, L : 43 g, G : 86 g

1 Préchauffer les assiettes. Cuire les pâtes dans beaucoup d'eau salée selon les indications de l'emballage.

2 Râper le parmesan. Fondre le beurre dans une poêle et laisser roussir légèrement.

3 Égoutter les pâtes dans une passoire et mélanger au beurre bien chaud. Disposer immédiatement sur les assiettes chaudes et saupoudrer de parmesan.

Soupe de pommes de terre
à la roquette

Pour 1 à 2 personnes

400 g de pommes de terre

1 gousse d'ail

75 g de roquette

700 ml de bouillon de poule

1 c.s. d'huile d'olive

Sel

Poivre

75 g de poitrine fumée

Parmesan

Préparation : 30 minutes
(plus temps de cuisson)
Par portion : 296 kcal / 1 243 kJ
P : 16 g, L : 11 g, G : 30 g

1 Éplucher les pommes de terre et les couper en dés. Peler l'ail et le hacher. Rincer la roquette à l'eau, bien la secouer et la détailler en lanières.

2 Chauffer le bouillon et y plonger les pommes de terre et l'ail environ 15 minutes. Ajouter la roquette et poursuivre la cuisson 2 minutes à petits bouillons. Mixer la soupe avec l'huile. Saler et poivrer.

3 Découper la poitrine en dés et faire dorer à la poêle. Incorporer à la soupe. Râper grossièrement le parmesan sur la soupe.

Spaghettinis aux épinards
et au piment

Pour 2 personnes

150 g d'épinards frais
1 ½ piment rouge
2 gousses d'ail
200 g de spaghettinis
Sel
3 c.s. d'huile d'olive
25 g de graines de sésame
Poivre

Préparation : 20 minutes
Par portion : 373 kcal / 1 564 kJ
P : 14 g, L : 3 g, G : 70 g

1 Trier, nettoyer et sécher les épinards. Enlever les parties abîmées des piments, les rincer à l'eau, les couper en deux et les épépiner. Couper en petits dés. Éplucher l'ail et le hacher menu.

2 Cuire les spaghettinis al dente dans de l'eau bouillante salée selon les indications de l'emballage.

3 Chauffer l'huile dans une poêle et y saisir le piment. Ajouter l'ail et poursuivre la cuisson en tournant jusqu'à ce que l'ensemble soit fondant. Ajouter le sésame et cuire à feu vif environ 2 minutes en tournant. Verser les épinards dans la préparation et faire fondre.

4 Jeter l'eau de cuisson des pâtes, les rincer à l'eau froide et bien égoutter.

5 Les incorporer aux épinards, saler et poivrer. Dresser puis servir.

Toast Hawaï
à l'ananas et au jambon

Pour 2 personnes

4 tranches de pain de mie

Beurre à tartiner

4 tranches d'ananas en boîte

4 tranches de jambon blanc

4 tranches de fromage

Paprika doux

4 cerises confites

Préparation : 10 minutes
(plus temps pour gratiner)
Par portion : 425 kcal/1785 kJ
P : 17 g, L : 18 g, G : 49 g

1 Préchauffer le four à 200 °C (chaleur tournante, à 180 °C). Griller le pain de mie au grille-pain et laisser refroidir un peu. Tartiner les tranches d'un peu de beurre et les disposer sur une tôle garnie de papier sulfurisé.

2 Verser les tranches d'ananas dans une passoire et bien égoutter. Pour commencer, garnir les tranches de pain de jambon. Ajouter l'ananas et recouvrir des tranches de fromage. Saupoudrer d'un peu de paprika selon le goût.

3 Placer les toasts au second niveau à partir du haut dans le four préchauffé et gratiner 7 minutes environ. Servir chaque toast décoré d'une cerise confite.

Salade bavaroise
au cervelas

Pour 1 à 2 personnes

50 g de cervelas

50 g de saucisson de Cracovie

50 g de saucisson au jambon

1 oignon

1 cornichon

2 c.s. d'huile végétale

3 c.s. de vinaigre de vin blanc

Sel

Poivre

1 c.s. de persil frais haché

Préparation : 15 minutes
Par portion : 328 kcal/1377 kJ
P : 11 g, L : 30 g, G : 3 g

1 Détailler les différents saucissons en fines laniè-res. Éplucher l'oignon et le couper en rondelles fines. Couper le cornichon en dés.

2 Mélanger tous les ingrédients dans un saladier et saupoudrer de persil. Réserver au frais jusqu'au moment de servir.

Œufs brouillés
avec et sans herbes

Pour 2 personnes
4 œufs
Sel
Poivre
10 g de beurre

Préparation : 10 minutes
Par portion : 223 kcal / 936 kJ
P : 15 g, L : 17 g, G : 1 g

1 Casser les œufs, les battre, saler et poivrer.

2 Chauffer le beurre dans une poêle antiadhésive. Verser les œufs dans la poêle et cuire à température moyenne en piquant régulièrement la masse déjà prise.

Variations : incorporer aux œufs de la ciboulette, de l'aneth, de la roquette ou du persil que l'on aura ciselé finement.

Les crevettes et un peu d'aneth constituent une variante classique.

Les œufs brouillés au jambon, fumé ou de Paris, sont également très appréciés.

Petits plats de toujours

Lasagnes
à la viande hachée

Pour 2 personnes

½ oignon

½ carotte

1 c.s. d'huile d'olive

200 g de viande hachée
(bœuf et porc)

½ c.c. de thym séché

400 g de tomates à pizza
en boîte

Sel

Poivre

1 c.s. de beurre

2 c.s. de farine

250 ml de bouillon de viande

75 ml de lait

250 g de plaques de lasagne
sans pré-cuisson

150 g de cheddar frais râpé

Graisse pour le plat

Basilic pour la décoration

Préparation : 30 minutes
(plus temps de cuisson)
Par portion : 1103 kcal / 4633 kJ
P : 56, L : 53 g, G : 96 g

1 Éplucher et hacher l'oignon, couper les extrémités de la carotte, l'éplucher et la couper en dés. Chauffer l'huile dans une poêle et y faire fondre l'oignon. Ajouter carotte et viande hachée et bien saisir. Incorporer le thym et les tomates et assaisonner de sel et poivre.

2 Faire un roux avec le beurre et la farine et déglacer au bouillon. Laisser réduire à petit feu jusqu'à ce que la sauce soit onctueuse, verser le lait et saler. Préchauffer le four à 200 °C (chaleur tournante, à 180 °C).

3 Verser un peu de sauce dans un plat graissé allant au four, recouvrir d'une couche de plaques des lasagnes et répartir un peu de la préparation à la viande. Saupoudrer d'un peu de fromage. Répéter l'opération tant qu'il reste des ingrédients. La dernière couche est constituée de sauce saupoudrée de fromage. Faire dorer les lasagnes au four pendant 40 minutes environ. Les servir décorées de basilic.

Boulettes de viande hachée
farcies au poivron et au fromage

Pour 4 boulettes

375 g de viande hachée
(bœuf et porc)

1 œuf

Sel

Poivre

¼ c.c. de piment de Cayenne

1 c.s. de persil frais haché

½ poivron rouge

½ poivron vert

½ c.s. de beurre

½ c.s. de vinaigre

Quelques feuilles de roquette

4 tranches de fromage fondu

½ barquette de cresson
alénois

Préparation : 30 minutes
(plus temps de cuisson)
Par portion : 298 kcal / 1 252 kJ
P : 22 g, L : 23 g, G : 2 g

1 Préchauffer le four à 200 °C (chaleur tournante, à 180 °C). Mélanger la viande hachée avec l'œuf, les épices et le persil. Former 4 boulettes et les placer sur la tôle du four. Enfourner 20 minutes environ.

2 Laver les poivrons, enlever les parties défraîchies, ôter les graines et les couper en petits dés. Les cuire 3 minutes environ à couvert dans le beurre bien chaud. Ajouter le vinaigre et 1 c.s. d'eau et poursuivre la cuisson 1 minute. Laver et sécher la roquette.

3 Couper les boulettes en deux. Garnir la partie inférieure de roquette et disposer dessus les dés de poivron. Recouvrir de la moitié supérieure et placer 1 tranche de fromage fondu sur l'ensemble. Bien dorer au grill chaud et servir saupoudré de cresson. Servir du pain ou des pommes de terre sautées en accompagnement.

Tortilla au four

Pour 2 personnes

Papier aluminium

Huile pour le plat

1 gousse d'ail

2 ciboules

½ poivron rouge

½ poivron vert

Huile pour la poêle

2 pommes de terre cuites

2 gros œufs

40 g de crème aigre

75 g de fromage à pâte dure râpé

1 c.s. de ciboulette ciselée

Sel

Poivre

Préparation : 20 minutes
(plus temps de cuisson)
Par portion : 523 kcal / 2 195 kJ
P : 23 g, L : 42 g, G : 15 g

1 Garnir un plat rectangulaire (environ 18 x 25 cm) allant au four de papier aluminium et graisser d'un peu d'huile. Préchauffer le four à 180 °C (chaleur tournante, à 160 °C).

2 Éplucher l'ail, enlever les parties abîmées des ciboules, les rincer à l'eau et les couper en petits morceaux. Laver les poivrons, enlever les parties défraîchies, ôter les graines et les couper en petits dés.

3 Chauffer un peu d'huile, cuire rapidement à l'étouffée, ajouter l'ail passé au presse-ail. Verser les dés de poivron dans la poêle. Cuire le tout 8 minutes environ à l'étouffée puis laisser refroidir.

4 Couper les pommes de terre en petits dés et mélanger aux légumes cuits à la poêle. Battre les œufs, mélanger avec la crème aigre, le fromage et la ciboulette. Incorporer aux légumes, saler et poivrer.

5 Verser la préparation dans le plat allant au four et lisser la surface. Cuire la tortilla 35 minutes environ au four pré-chauffé. Elle doit être sèche à l'intérieur aussi.

6 Sortir la tortilla, la couper en dés et servir. Elle s'accompagne bien d'une salade verte.

Spaghettis
à la carbonara

Pour 2 personnes

25 g de poitrine fumée
50 g de jambon blanc
½ gousse d'ail
1 c.s. de beurre
200 g de spaghettis
Sel
20 g de parmesan
20 g de pecorino
1 gros œuf
50 ml de crème liquide
Poivre

Préparation : 15 minutes
(plus temps de cuisson)
Par portion : 703 kcal / 2 951 kJ
P : 31 g, L : 33 g, G : 70 g

1 Couper la poitrine et le jambon en petits cubes. Éplucher l'ail et le hacher finement. Chauffer le beurre dans une poêle et y cuire la poitrine à couvert. Ajouter l'ail et poursuivre la cuisson 3 minutes environ.

2 Cuire les spaghettis al dente dans de l'eau bouillante salée, jeter l'eau de cuisson et égoutter. Verser les pâtes dans la poêle avec la poitrine et bien remuer l'ensemble.

3 Râper finement le parmesan et le pecorino. Battre l'œuf avec la crème et la moitié des deux fromage, saler et poivrer. Incorporer le jambon. Ajouter la préparation aux spaghettis et bien mélanger jusqu'à ce que les œufs commencent à sécher.

4 Incorporer le reste de fromage aux spaghettis et servir immédiatement.

Poivrons farcis
au riz et aux légumes

Pour 2 personnes

2 poivrons

½ courgette

1 tomate

1 oignon haché

1 gousse d'ail hachée

1 c.s. d'huile d'olive

100 g de riz cuit

Sel

Poivre

1 c.s. de persil frais haché

4 c.s. de fromage blanc

4 c.s. de parmesan frais râpé

2 c.s. de fromage de brebis émietté

1 œuf

Préparation : 30 minutes
(plus temps de cuisson)
Par portion : 413 kcal / 1 734 kJ
P : 18 g, L : 15 g, G : 49 g

1 Éliminer les parties abîmées des poivrons, les passer à l'eau, les ouvrir par la queue et ôter les graines. Couper l'extrémité de la courgette, la rincer et la couper en dés, laver la tomate, retirer le pédoncule et la couper en huit. Cuire rapidement à couvert la tomate, l'oignon et l'ail dans l'huile bien chaude. Laisser refroidir.

2 Mélanger le reste des ingrédients aux légumes et en farcir les poivrons. Cuire les poivrons à l'auto-cuiseur en 25 minutes environ ou dans une sauce tomate en approximativement 40 minutes.

Poulet
cordon bleu

Pour 1 à 2 personnes

1 à 2 ailes de poulet

Sel

Poivre

2 tranches de jambon blanc

2 tranches d'emmenthal

1 c.s. de farine

1 œuf

3 c.s. de chapelure

1 c.s. de beurre clarifié

Préparation : 10 minutes
(plus temps de cuisson)
Par portion : 338 kcal / 1419 kJ
P : 36 g, L : 16 g, G : 10 g

1 Rincer la viande à l'eau, l'éponger et l'entailler dans son épaisseur sans trancher complètement. Saler et poivrer. Placer 1 tranche de jambon et 1 tranche de fromage à l'intérieur.

2 Passer la viande d'abord dans la farine, puis dans l'œuf battu et dans la chapelure pour terminer. Dorer environ 5 minutes sur les deux faces à feu vif dans le beurre bien chaud. Egoutter sur du papier absorbant.

Ćevapčići
au tzatziki

Pour 2 personnes

¼ de concombre

Sel

2 gousses d'ail

125 g de fromage blanc
(20 % M.G.)

75 g de yaourt

½ c.s. de persil ciselé
finement

Poivre

½ oignon

½ poivron rouge

½ poivron vert

300 g de viande hachée de
bœuf

½ c.c. de paprika

1 ½ c.s. d'huile d'olive

Préparation : 30 minutes
(plus temps de dégorgement et de
cuisson)
Par portion : 432 kcal / 1814 kJ
P : 40 g, L : 26 g, G : 8 g

1 Éplucher le concombre et le râper finement. Saupoudrer de sel et laisser dégorger 15 minutes. Presser ensuite la masse pour en extraire le liquide.

2 Pendant ce temps, éplucher les gousses d'ail et les hacher menu. Dans un bol, mélanger fromage blanc, yaourt et la moitié de l'ail avec le concombre râpé. Ajouter persil, sel et poivre.

3 Pour les Ćevapčići, éplucher l'oignon et le hacher très finement. Débarrasser les poivrons des parties défraîchies, les passer à l'eau, les éponger, les couper en quatre dans le sens de la longueur, ôter les graines et tailler en lanières.

4 Mélanger la viande hanchée avec le reste de l'ail, du sel, du poivre et un peu de paprika pour former une pâte. S'humidifier les mains puis façonner des saucisses d'environ 2 cm de diamètre et de la longueur d'un doigt. Placer les Ćevapčići les uns à côté des autres sur une assiette, couvrir et réserver au frais 30 minutes.

5 Chauffer l'huile dans une poêle antiadhésive. Faire dorer les Ćevapčići sur toutes les faces en 5 minutes environ en les retournant plusieurs fois.

6 Distribuer l'oignon haché sur les Ćevapčići, décorer le tout des lanières de poivrons et saupoudrer légèrement du reste de paprika. Servir le tzatziki en accompagnement.

Cuisse de poulet
au four

Pour 2 personnes

Papier sulfurisé pour la tôle du four

Gros sel de mer

500 g de petites pommes de terre non farineuses

1 branche de romarin

2 cuisses de poulet

Poivre

1 c.c. de paprika doux

2 petites courgettes

½ gros poivron rouge

125 g de tomates cerise

Préparation : 20 minutes
(plus temps de cuisson)
Par portion : 488 kcal / 2 050 kJ
P : 36 g, L : 18 g, G : 43 g

1 Préchauffer le four à 200 °C (chaleur tournante, à 180 °C), garnir la tôle du four de papier sulfurisé et saupoudrer légèrement de gros sel. Bien brossser les pommes de terre sous l'eau courante. Les placer ensuite sur la tôle, saler et saupoudrer des feuilles de romarin.

2 Rincer les cuisses de poulet, les éponger et les couper à l'articulation. Mélanger ½ c.c. de sel avec un peu de poivre et le paprika et en frotter les cuisses de poulet. Poser les cuisses entre les pommes de terre sur la tôle et cuire le tout 45 minutes.

3 Pendant ce temps, préparer et passer les légumes à l'eau. Couper les courgettes en bâtonnets, couper le poivron en deux, ôter les graines et le détailler aussi en lanières. Piquer les tomates pour qu'elles n'éclatent pas.

4 Après 25 minutes de cuisson, rajouter les légumes aux pommes de terre et au poulet et badigeonner du fond de cuisson qui s'est formé sur la tôle.

Spaghettis
à la bolognaise

Pour 2 personnes

½ oignon

½ pointe d'ail

40 g de poitrine fumée

½ carotte

¼ de céleri branche

1 c.s. d'huile d'olive

200 g de viande hachée
(bœuf et porc)

50 ml de bouillon

Sel

Poivre

50 ml de lait

½ c.c. d'origan ciselé

200 g de tomates en boîte
hachées

½ c.s. de sucre

200 g de spaghettis

25 g de parmesan râpé

Thym pour la décoration

Préparation : 20 minutes
(plus temps de cuisson)
Par portion : 733 kcal/3079 kJ
P : 41 g, L : 28 g, G : 76 g

1 Éplucher et hacher l'oignon et l'ail. Couper la poitrine en dés. Éplucher la carotte et le céleri branche, les passer à l'eau et les couper en dés. Faire fondre la poitrine dans l'huile bien chaude. Ajouter d'abord les légumes puis la viande hachée et saisir à feu vif en remuant.

2 Verser le bouillon et cuire la préparation à petit feu jusqu'à évaporation de tout le liquide. Saler et poivrer. Ajouter le lait et poursuivre la cuisson jusqu'à obtention d'une crème onctueuse. Incorporer l'origan, les tomates et le sucre à la sauce et poursuivre la cuisson 30 minutes environ à petit feu.

3 Cuire les spaghettis al dente selon les indications de l'emballage. Jeter l'eau de cuisson et égoutter. Disposer sur des assiettes, verser la sauce, saupoudrer de parmesan et servir décoré de thym.

Boudins de viande hachée
à la ratatouille

Pour 2 personnes

½ poivron vert

½ aubergine

1 courgette

2 tomates

½ piment

½ oignon

½ pointe d'ail

400 g de viande de bœuf hachée

Sel

Poivre

1 ½ c.s. d'huile

½ c.c. d'herbes de Provence

2 c.s. de crème aigre

Préparation : 20 minutes
(plus temps de cuisson)
Par portion : 493 kcal / 2071 kJ
P : 43 g, L : 32 g, G : 9 g

1 Préparer le poivron, l'aubergine et la courgette et les rincer à l'eau. Ôter les graines du poivron. Couper en dés le poivron, l'aubergine et la courgette. Rincer les tomates à l'eau, les sécher, retirer le pédoncule et couper en morceaux. Passer à l'eau le piment, retirer la queue et les graines puis couper en rondelles. Éplucher et hacher l'oignon et l'ail.

2 Mélanger la viande avec le piment, l'oignon, l'ail, du sel et du poivre et 1 c.s. d'eau glacée. Façonner des petits boudins et les faire bien dorer à l'huile très chaude. Les sortir et réserver au chaud.

3 Verser les légumes dans la poêle et cuire à couvert pendant 10 minutes en tournant. Assaisonner de sel, poivre et d'herbes. Répartir sur des assiettes et servir avec 1 c.s. de crème aigre par personne.

Hachis

aux légumes et au riz

Pour 2 personnes

1 c.s. d'huile

½ gousse d'ail

250 g de viande hachée
(bœuf et porc)

Sel

Poivre

Paprika doux

125 g de riz longs grains

200 g de tomate

150 g d'aubergine

150 g de courgette

150 g de poivron jaune

3 c.s. d'huile d'olive

100 ml de crème liquide

1 botte d'herbes aromatiques fraîches hachées

1 œuf

10 g de beurre fondu

Préparation : 30 minutes
(plus temps de cuisson)
Par portion : 865 kcal / 3 633 kJ
P : 37 g, L : 53 g, G : 60 g

1 Chauffer l'huile dans une poêle. Éplucher et hacher l'ail. Faire revenir la viande hachée et l'ail dans l'huile bien chaude. Assaisonner de sel, poivre et paprika. Faire cuire le riz dans environ 250 ml d'eau salée selon les indications de l'emballage. Verser l'eau de cuisson et égoutter.

2 Enlever les parties défraîchies des légumes, les rincer à l'eau et les détailler en rondelles – en morceaux pour le poivron. Chauffer l'huile d'olive dans une poêle et y faire revenir durant 3 minutes séparément, et sur les deux faces, l'aubergine, la courgette et le poivron puis les assaisonner.

3 Préchauffer le four à 180 °C (chaleur tournante, à 160 °C). Dans un plat allant au four, placer les uns à côté des autres, ou en couches superposées, les légumes, le riz et la viande. Mélanger la crème liquide, les herbes et l'œuf et verser sur la préparation. Cuire environ 30 minutes au four. Verser peu à peu le beurre fondu sur le plat.

Poêlée de riz
au filet de dinde

Pour 1 personne

50 g de riz longs grains
Sel
150 g de filet de dinde
1 oignon
½ gousse d'ail
1 courgette
½ poivron jaune
2 tomates
1 c.s. d'huile
½ c.c. de curry
1 pincée de gingembre
moulu
100 ml de bouillon de poule
Poivre

Préparation : 20 minutes
(plus temps de cuisson)
Par portion : 677 kcal / 2843 kJ
P ; 51 g, L : 27 g, G : 57 g

1 Cuire le riz dans de l'eau salée selon les indications de l'emballage. Rincer la viande, l'éponger et la couper en lanières. Éplucher et hacher l'oignon et l'ail. Débarrasser les légumes des parties abîmées, les passer à l'eau et les couper en dés.

2 Chauffer l'huile, saisir la viande 2 minutes. Sortir de la poêle. A couvert, cuire l'oignon, l'ail, le curry et le gingembre, ajouter les légumes et poursuivre 2 minutes la cuisson. Verser le bouillon et cuire 5 minutes à petit feu.

3 Jeter l'eau de cuisson du riz, incorporer aux légumes avec la viande. Poivrer.

Goulasch de pommes de terre
à la poitrine et aux saucisses

Pour 2 personnes

500 g de pommes de terre

75 g de poitrine

75 g de petites saucisses fumées

1 ½ oignon

1 ½ pincée d'ail

2 c.s. de beurre clarifié

1 c.s. de paprika doux

1 giclée de vinaigre

500 ml de bouillon de poule

1 feuille de laurier

Marjolaine

1 pincée de carvi moulu

Sel

Poivre

1 ½ c.s. de crème aigre

Herbes aromatiques fraîches pour la décoration

Préparation : 30 minutes
(plus temps de cuisson)
Par portion : 616 kcal / 2578 kJ
P : 17 g, L : 40 g, G : 42 g

1 Éplucher les pommes de terre et les couper en cubes de 3 cm. Couper en dés la poitrine et la saucisse. Éplucher et hacher finement les oignons et l'ail.

2 Chauffer 1 ½ c.s. de beurre dans une grande casserole et faire fondre les oignons. Ajouter l'ail et la poitrine et poursuivre la cuisson jusqu'à ce que la poitrine soit croquante.

3 Retirer la casserole du feu et laisser refroidir un peu. Ajouter le paprika et le vinaigre. Mouiller ensuite du bouillon de poule. Rectifier l'assaisonnement selon le goût avec feuille de laurier, marjolaine, carvi, sel et poivre.

4 Incorporer les cubes de pommes de terre pour finir et cuire la goulasch environ 30 minutes. Si elle est trop liquide, sortir quelques cubes de pommes de terre, les réduire en purée et les réincorporer à la goulasch.

5 Dans une poêle, cuire la saucisse à feu vif dans le reste de beurre bien chaud et ajouter à la goulasch juste avant la fin de la cuisson. Décorer d'un peu de crème aigre et servir saupoudrée d'herbes fraîches.

Soupe aux
petits légumes

Pour 2 personnes

½ oignon

1 ½ carotte

½ céleri branche

1 courgette

1 pomme de terre

2 c.s. de beurre

750 ml de bouillon de légumes

Sel

Poivre

1 c.s. de persil frais haché

Préparation : 20 minutes
(plus temps de cuisson)
Par portion : 305 kcal / 1 281 kJ
P : 5 g, L : 22 g, G : 22 g

1 Éplucher l'oignon et les carottes et les couper en rondelles. Éplucher et laver le céleri branche puis le couper en dés. Enlever les parties défraîchies de la courgette, la rincer à l'eau et la couper en rondelles. Éplucher les pommes de terre et les couper en dés.

2 Chauffer le beurre dans une grande casserole et verser les légumes. Cuire environ 5 minutes à l'étouffée en tournant puis ajouter le bouillon de légumes. Laisser frémir la soupe 30 minutes environ jusqu'à ce que les légumes soient cuits à point.

3 Saler et poivrer la soupe et la servir saupoudrée de persil.

Conseil : pour cette soupe, vous pouvez facilement utiliser un grand nombre de légumes qui vous fourniront les vitamines nécessaires. On peut remplacer le céleri branche par le céleri-rave. Cette soupe peut aussi bien se faire avec chou-fleur, poireau et potiron.

Potée au chou de Milan
et aux pâtes

Pour 2 personnes

125 g de chou de Milan

100 g de carottes

½ oignon

½ gousse d'ail

1 c.s. d'huile de germes

½ l de bouillon de viande

40 g de pâtes à la farine complète

1 tranche de jambon blanc (50 g)

1 c.s. de persil haché

1 pincée de noix de muscade

Sel

Poivre

1 c.s. de pignons grillés

Préparation : 20 minutes
(plus temps de cuisson)
Par portion : 285 kcal/1 197 kJ
P : 24 g, L : 17 g, G : 10 g

1 Enlever les parties abîmées du chou et le passer à l'eau, éplucher les carottes, couper le tout en julienne.

2 Éplucher l'oignon et la gousse d'ail. Couper l'oignon en dés. Presser l'ail.

3 Chauffer l'huile. Faire fondre l'oignon et l'ail. Ajouter les légumes et cuire à couvert.

4 Mouiller avec le bouillon, amener à ébullition et jeter les pâtes en pluie. Cuire à feu doux environ 15 minutes.

5 Couper le jambon en dés. Incorporer à la potée peu avant la fin de la cuisson. Ajouter persil et noix de muscade râpée, saler et poivrer éventuellement.

6 Saupoudrer de pignons et servir.

Conseil : les pignons, qui sont des graines oléagineuses comestibles, proviennent des pins parasols du pourtour méditerranéen. Avant d'être commercialisées, les graines blanches et allongées doivent être débarrassées de leur coquille dure. Leur goût rappelle celui des amandes, en un peu plus doux et plus fin. Grillées, elles sont encore plus goûtées.

Potée de lentilles
aux petites saucisses fumées

Pour 1 à 2 personnes

125 g de lentilles vertes
trempées une nuit

300 g de pommes de terre

200 g de carottes

1 poireau

750 ml de bouillon de
légumes

150 g de petites saucisses
fumées

¼ c.c. de marjolaine séchée

Sel

Poivre

½ c.s. de vinaigre de pomme

1 c.s. de persil frais haché

Préparation : 20 minutes
(plus temps de trempage
et de cuisson)
Par portion : 685 kcal / 2877 kJ
P : 32 g, L : 34 g, G : 59 g

1 Jeter l'eau de trempage et cuire les lentilles dans 500 ml d'eau pendant environ 30 minutes, écumer et jeter l'eau de cuisson. Éplucher les pommes de terre et les carottes et les couper en dés. Enlever les feuilles défraîchies du poireau, le laver et le couper en rondelles.

2 Amener le bouillon à ébullition dans une casserole, y plonger les pommes de terre, les légumes et les lentilles et laisser frémir environ 20 minutes. Couper les saucisses en rondelles et les intégrer à la potée. Pour l'assaisonnement, ajouter marjolaine, sel, poivre et vinaigre. Saupoudrer de persil.

Occasions spéciales

Salade de vermicelles chinois
au poulet et aux cacahuètes

Pour 1 à 2 portions

75 g de vermicelles chinois

½ piment rouge

2 c.s. de nuoc mam

1 c.s. de jus de citron

½ c.s. de cassonade

½ céleri branche

1 ciboule

1 échalote

1 tomate

½ courgette

2 champignons chinois secs, mis à tremper

100 g de filet de poulet

1 c.s. d'huile de sésame

1 c.c. sauce de soja

Sel

Poivre

2 c.s. de feuilles de coriandre

1 c.s. de cacahuètes grillées non salées

Préparation : 20 minutes
(plus temps de cuisson)
Par portion : 269 kcal / 1 129 kJ
P : 20 g, L : 9 g, G : 24 g

1 Plonger les vermicelles 5 minutes dans l'eau très chaude. Égoutter, rincer à l'eau froide et découper aux ciseaux. Préparer le piment et le hacher. Dans un saladier, mélanger avec 1 c.s. de nuoc mam, le jus de citron et la cassonade.

2 Enlever les parties défraîchies des légumes et les passer à l'eau. Éplucher l'échalote et tout couper en julienne. Couper la tomate en huit. Égoutter les champignons et les couper en dés.

3 Passer la viande à l'eau, éponger et détailler en lanières. Chauffer l'huile dans une poêle et mijoter 3 minutes la viande coupée en lanières et les champignons. Verser le reste de nuoc mam et la sauce de soja puis saler et poivrer.

4 Verser la viande, les champignons, les légumes et les vermicelles dans la sauce au piment et bien mélanger. Décorer de feuilles de coriandre et de cacahuètes.

Strudel de légumes
au cottage cheese

Pour 1 strudel

Pâte

250 g de farine complète

½ c.c. de sel

4 c.s. d'huile d'olive

Farce

2 oignons

300 g de carottes

1 kg d'épinards en branches

2 c.s. d'huile d'olive

Sel

Poivre

50 g de pignons grillés

200 g de cottage cheese

2 jaunes d'œufs

3 c.s. de flocons d'avoine

2 c.s. de beurre

Farine pour le linge

Matière grasse pour la tôle

Préparation : 40 minutes
(plus temps de repos et de cuisson)
Par portion : 145 kcal / 609 kJ
P : 7 g, L : 6 g, G : 13 g

1. Mélanger farine et sel. Faire un puits au milieu, ajouter peu à peu l'huile ainsi que 10 c.s. d'eau environ, faire à la main une pâte souple. Malaxer la pâte pour la rendre lisse, couvrir et laisser reposer 1 heure au chaud.

2. Pendant ce temps, éplucher les oignons et les carottes et les couper en dés. Éliminer les parties abîmées des épinards, les passer à l'eau et les couper en lanières. Chauffer l'huile dans une grande poêle, faire revenir les oignons. Ajouter les carottes et mijoter 3 minutes à couvert, ajouter les épinards et poursuivre brièvement la cuisson. Assaisonner les légumes et laisser refroidir. Jeter le liquide. Incorporer les pignons.

3. Mélanger le cottage cheese avec les jaunes d'œufs et les flocons d'avoine et incorporer aux légumes.

4. Étaler finement la pâte et la placer sur un linge saupoudré de farine. Tirer un peu sur les bords.

5. Badigeonner la pâte d'un peu de beurre fondu et verser la préparation aux légumes dessus. Rouler le strudel dans sa largeur en s'aidant du linge.

6. Placer sur une tôle graissée, badigeonner du reste de beurre et mettre au four préchauffé à 190 °C (chaleur tournante, à 170 °C) pendant 45 minutes environ.

Filet de sébaste
en croûte aux herbes

Pour 2 personnes

300 g de filet de sébaste

Jus d'un demi citron

Sel

½ botte de persil plat

½ gousse d'ail

30 g de noix de cajou

15 g de corn-flakes

1 petit œuf

15 g de beurre ramolli

Poivre

½ poivron rouge

75 g de carottes

½ c.s. d'huile de colza

100 g de petits pois surgelés

125 g de boulgour

Curry

Préparation : 30 minutes
(plus temps de cuisson)
Par portion : 667 kcal / 2801 kJ
P : 44 g, L : 23 g, G : 67 g

1 Rincer le filet de sébaste sous l'eau, l'éponger et le couper en 2 morceaux. Arroser de jus de citron et saler légèrement. Préchauffer le four à 200 °C (chaleur tournante, à 180 °C).

2 Passer le persil à l'eau, l'éponger et le hacher menu. Éplucher l'ail et le hacher finement. Hacher également les noix de cajou et écraser grossièrement les corn-flakes. Verser les ingrédients dans un saladier avec l'œuf et le beurre ainsi qu'un peu de sel et de poivre.

3 Étaler la préparation sur les filets de poisson. Déposer les filets sur la tôle du four garnie de papier sulfurisé, enfourner à mi-hauteur et cuire 20 à 25 minutes, selon l'épaisseur des filets.

4 Pendant ce temps, ôter la queue du poivron et les graines, rincer et couper en dés. Éplucher les carottes et détailler en petits dés. Chauffer l'huile de colza dans une casserole, cuire les carottes à couvert 4 minutes environ. Ajouter les petits pois et le poivron et poursuivre la cuisson 4 minutes.

5 Préparer le boulgour selon les indications de l'emballage, mélanger avec les légumes, assaisonner de curry selon le goût et servir avec le filet de poisson.

Saumon frit
sur lit d'asperges

Pour 2 personnes

300 g de filet de saumon
1 ½ gousse d'ail
½ botte de persil plat
½ citron vert non traité
375 g d'asperges blanches
375 g d'asperges vertes
40 g de parmesan
Sel
1 ½ c.s. d'huile d'olive
10 g de pignons
Poivre blanc

Préparation : 25 minutes
(plus temps de cuisson)
Par portion : 432 kcal / 1814 kJ
P : 43 g, L : 24 g, G : 9 g

1 Passer le filet de saumon à l'eau, l'éponger et le couper en 2 morceaux. Éplucher l'ail et le tailler en lamelles. Rincer le persil, l'éponger et le hacher menu. Passer le citron à l'eau, le sécher et le couper en rondelles.

2 Passer les asperges blanches à l'eau et les éplucher. Passer les asperges vertes aussi à l'eau et en éplucher le tiers inférieur. Râper finement le parmesan. Plonger les asperges blanches dans de l'eau bouillante légèrement salée 12 à 15 minutes. Ajouter les asperges vertes après 5 à 8 minutes et cuire le tout ensemble.

3 Pendant ce temps, chauffer l'huile d'olive et frire le saumon sur les deux faces pendant 5 minutes environ. Au bout de 4 minutes, ajouter les rondelles de citron vert, l'ail et les pignons et frire rapidement avec le poisson. Saupoudrer de persil, saler et poivrer.

4 Répartir les asperges sur les assiettes. Dresser le saumon dessus et servir saupoudré de parmesan.

Ballottines de sole
en sauce à l'aneth et aux crevettes

Pour 2 personnes

4 filets de sole de 70 g chacun

Sel

Poivre blanc

1 c.s. de jus de citron

½ oignon

150 ml de fumet de poisson

25 g de beurre

15 g de farine

1 botte d'aneth

1 petit jaune d'œuf

2 c.s. de crème liquide

100 g de crevettes cuites

Préparation : 30 minutes
(plus temps de cuisson)
Par portion : 375 kcal / 1575 kJ
P : 37 g, L : 19 g, G : 9 g

1 Rincer les filets à l'eau courante et les éponger. Saler, poivrer et arroser de jus de citron. Rouler les filets, la face interne vers l'extérieur. Fixer avec des piques en bois.

2 Éplucher le demi-oignon et le couper en deux. Réaliser un court-bouillon à partir du fumet de poisson et de l'oignon. Plonger les ballottines de sole dans le court-bouillon et les cuire à feu très doux 6 à 7 minutes, les sortir à l'écumoire et les réserver au chaud dans un bol couvert. Passer le court-bouillon au chinois.

3 Chauffer le beurre dans une casserole. Faire blondir la farine. Verser le court-bouillon en tournant et cuire 5 minutes.

4 Pendant ce temps, rincer l'aneth, l'éponger et le hacher menu. Battre le jaune d'œuf et la crème liquide. Lier la sauce avec la préparation à la crème. Ajouter l'aneth, du sel et du poivre.

5 Rincer les crevettes, les éponger et les déposer dans la sauce avec les ballottines de sole puis réchauffer le tout.

Feuilletés
au hachis

Pour 2 personnes

½ paquet de pâte feuilletée surgelée (225 g)

1 gousse d'ail

½ oignon

1 tomate

200 g de haricots rouges en boîte

200 g de maïs en boîte

200 g de viande hachée (bœuf et porc)

2 petits œufs

Sel

Poivre

¼ c.c. de piment de Cayenne

¼ c.c. de paprika doux

1 c.s. de cerfeuil frais haché

Papier sulfurisé pour la tôle du four

Préparation : 25 minutes
(plus temps de décongélation et de cuisson)
Par portion : 1158 kcal/4864 kJ
P : 42 g, L : 62 g, G : 109 g

1 Décongeler la pâte feuilletée. Éplucher et hacher l'ail et l'oignon. Laver et sécher la tomate, éliminer le pédoncule et couper en dés. Égoutter les haricots et le maïs. Préchauffer le four à 200 °C (chaleur tournante, à 180 °C).

2 Mélanger les légumes avec la viande hachée, 1 œuf, les épices et le cerfeuil. Séparer le blanc du jaune du second œuf. Former des rectangles de pâte feuilletée (en réservant un peu de pâte) et les badigeonner de blanc d'œuf sur le bord. Verser la viande sur les rectangles et refermer la pâte. Façonner des décorations avec les restes de pâte, badigeonner de blanc d'œuf et en décorer la pâte. Battre le jaune d'œuf et en badigeonner les feuilletés.

3 Déposer les feuilletés sur une tôle garnie de papier sulfurisé et enfourner 40 minutes environ. Découper en tranches et servir avec une salade.

Poulet
à l'italienne

Pour 2 personnes

1 poulet de 1,2 kg

1 gousse d'ail

Sel

Poivre

3 c.s. d'herbes aromatiques
hachées (par ex. persil,
romarin et sauge)

Zeste râpé d'un demi citron
non traité

2 c.s. d'huile d'olive

4 tranches fines de poitrine
fumée

60 ml de fond de volaille

250 g de tomates

½ botte de ciboules

Préparation : 20 minutes
(plus temps de cuisson)
Par portion : 520 kcal / 2 184 kJ
P : 53 g, L : 30 g, G : 6 g

1 Préchauffer le four à 250 °C (chaleur tournante, à 225 °C). Passer le poulet à l'eau, l'éponger et le couper en deux dans le sens de la longueur.

2 Éplucher l'ail et le hacher menu. Réaliser une pâte avec ail, sel, poivre, herbes, zeste et huile d'olive. En badigeonner les deux moitiés de poulet.

3 Placer les deux moitiés sur une tôle ou dans un grand plat peu profond allant au four et barder chacune de 2 tranches de poitrine. Mouiller du fond de volaille et faire rôtir le poulet dans le bas du four.

4 Pendant ce temps, laver les tomates, les ébouillanter, enlever le pédoncule et la peau puis couper en dés. Rincer les ciboules à l'eau, enlever les parties défraîchies et émincer finement. Mélanger les tomates et les ciboules.

5 Après 15 minutes de cuisson, ajouter les tomates et les ciboules au poulet. Réduire la température du four à 180 °C (chaleur tournante, à 160 °C) et poursuivre la cuisson 30 minutes.

Gratin de poisson
aux pommes de terre

Pour 2 personnes

200 g de pommes de terre

100 g de carottes

½ poireau

2 filets de brochet

Sel

Poivre

1 c.s. d'huile

50 ml de bouillon de légumes

½ botte d'aneth

100 g de crème aigre

½ c.s. de concentré de tomate

Matière grasse pour le plat

Préparation : 20 minutes
(plus temps de cuisson)
Par portion : 308 kcal / 1 291 kJ
P : 33 g, L : 9 g, G : 20 g

1 Éplucher les pommes de terre et les couper en rondelles. Éplucher les carottes et les débiter également en rondelles. Enlever les feuilles jaunies du poireau, les laver et le couper en fines rondelles.

2 Préchauffer le four à 175 °C (chaleur tournante, à 155 °C). Frotter les filets de poisson avec du sel et détailler en gros dés.

3 Graisser un plat allant au four et, en alternant, disposer en couches les morceaux de poisson, les pommes de terre, les carottes et le poireau. Arroser d'huile et mouiller avec le bouillon.

4 Hacher l'aneth. Saupoudrer le gratin d'aneth, saler et poivrer et enfourner 35 minutes environ.

5 Mélanger la crème aigre et le concentré de tomate et servir avec le gratin.

Conseil : à la place du filet de brochet, vous pouvez prendre du filet de n'importe quel autre poisson. Les poissons à chair ferme s'y prêtent le mieux, car ils ne se défont pas aussi vite à la cuisson.

Paupiettes de bœuf
à la poitrine et aux cornichons

Pour 2 personnes

2 paupiettes de bœuf de 160 g chacune

1 c.s. de moutarde semi forte

Sel

Poivre

2 tranches fines de poitrine fumée

2 petits cornichons

½ oignon

½ carotte

15 g de beurre clarifié

175 ml de bouillon de bœuf

1 feuille de laurier

½ branche de thym

2 c.s. de crème fraîche

½ c.s. de fécule

Préparation : 30 minutes
(plus temps de cuisson)
Par portion : 382 kcal / 1604 kJ
P : 39 g, L : 18 g, G : 9 g

1 Placer les paupiettes sur le plan de travail et de badigeonner de moutarde. Saler et poivrer. Poser 1 tranche de poitrine sur chaque paupiette. Couper les cornichons en 4 dans le sens de la longueur et les répartir sur les paupiettes.

2 Rentrer un peu les paupiettes aux extrémités puis les rouler bien serrées du côté le plus étroit. Les maintenir avec une pique en bois.

3 Éplucher l'oignon et la carotte. Les couper tous les deux en très petits dés. Chauffer le beurre clarifié dans une petite sauteuse. Déposer les paupiettes à l'intérieur et les faire bien dorer de tous les côtés. Pendant ce temps, chauffer le bouillon.

4 Pour terminer, ajouter les dés de légumes aux paupiettes et laisser mijoter. Mouiller avec le bouillon brûlant. Ajouter la feuille de laurier et la branche de thym et faire mijoter à feu moyen pendant 45 minutes environ.

5 Sortir les paupiettes de la sauce et les conserver au chaud. Retirer également le laurier et le thym et réduire la sauce en purée fine ou la passer au chinois.

6 Amener la sauce à ébullition. Mélanger la crème fraîche et la fécule et incorporer à la sauce bouillante. Amener de nouveau à ébullition pour que la fécule lie la sauce. Saler et poivrer puis servir avec les paupiettes.

Filet de porc
à la sauce gorgonzola

Pour 2 personnes

½ échalote

40 g de beurre

50 g de gorgonzola

⅛ l de fond de volaille ou de veau

100 ml de crème liquide

50 g d'amandes en poudre

15 g de chapelure

Sel

Poivre

300 g de filet de porc

20 g de beurre clarifié

Matière grasse pour le plat

½ c.s. de fécule

25 ml de bouillon

1 pincée de noix muscade fraîche râpée

Préparation : 20 minutes
(plus temps pour gratiner)
Par portion : 820 kcal/3444 kJ
P : 45 g, L : 66 g, G : 11 g

1 Éplucher l'échalote et la couper en dés menus. Faire fondre dans ½ c.s. de beurre jusqu'à ce que l'échalote soit transparente. Couper le gorgonzola en dés. Ajouter à l'échalote avec le fond et la crème liquide et réduire d'un tiers.

2 Faire fondre le reste de beurre. Ajouter les amandes et la chapelure dans le beurre en tournant, assaisonner de sel et de poivre. Préchauffer le four à 200°C (chaleur tournante, à 180°C).

3 Rincer le filet de porc à l'eau, l'éponger et le découper en lanières. Saler et poivrer. Chauffer le beurre clarifié dans une poêle et saisir le porc sur les deux faces. Placer la viande dans un plat graissé allant au four (d'environ 30 cm de longueur) et badigeonner de la préparation aux amandes. Enfourner à mi-hauteur dans le four préchauffé et rôtir 15 minutes environ jusqu'à ce que la croûte soit bien dorée.

4 Lier la sauce au gorgonzola avec un peu de fécule. Pour cela, mélanger la fécule à un peu de bouillon et incorporer à la sauce bouillante. Assaisonner de noix muscade. Des pâtes rubans et des épinards accompagneront bien ce plat.

Bœuf Stroganoff
aux champignons de Paris

Pour 2 personnes

300 g de filet de bœuf

150 g de petits champignons de Paris

1 oignon

2 cornichons

1 ½ c.s. d'huile

10 g de beurre

Sel

Poivre

100 ml de bouillon de bœuf

1 c.c. de moutarde de Dijon

2 c.s. de crème fraîche

½ c.s. de fécule

Préparation : 20 minutes
(plus temps de cuisson)
Par portion : 174 kcal/730 kJ
P : 8 g, L : 12 g, G : 6 g

1 Passer le filet à l'eau, l'éponger et le couper en fines lamelles perpendiculairement au sens des fibres. Préparer les champignons, les tamponner d'un chiffon humide et les tailler aussi en fines lamelles. Si les champignons sont très gros, les couper en quatre puis en lamelles.

2 Éplucher l'oignon et le hacher très menu. Couper les cornichons en petits dés.

3 Chauffer ensuite ½ c.s. d'huile et la moitié du beurre dans une poêle antiadhésive. Saisir la viande par portions. Saler et poivrer. Sortir et conserver au chaud. Renouveler l'opération avec le reste de la viande, rajouter éventuellement un peu de beurre et d'huile dans la poêle.

4 Dans la même poêle, faire revenir les oignons et les champignons dans le reste de matières grasses. Ajouter les cornichons et mouiller avec le bouillon. Ajouter la moutarde en remuant et laisser réduire un peu.

5 Mélanger la fécule et la crème fraîche. Verser dans la sauce frémissante et porter à ébullition pour que la fécule lie la sauce. Ajouter la viande et la réchauffer dans la sauce. Saler et poivrer à convenance.

Fêtes et amis

Cuisses de poulet
pimentées

Pour 4 personnes

4 cuisses de poulet

Sel

Poivre

1 c.c. de paprika

½ c.c. de piment de Cayenne

4 c.s. d'huile d'olive

Sauce pimentée

Préparation : 10 minutes
(plus temps de cuisson)
Par portion : 324 kcal / 1360 kJ
P : 28 g, L : 22 g, G : 2 g

1 Passer les cuisses de poulet à l'eau, éponger. Mélanger épices et huile et en badigeonner les cuisses de poulet.

2 Mettre 30 minutes environ au four préchauffé à 180 °C (chaleur tournante, à 160 °C) ou dorer dans la poêle en 15 minutes. En accompagnement, servir une sauce pimentée et une salade.

Chili con Carne
au hachis et aux pommes de terre

Pour 4 personnes

200 g de haricots rouges
secs

2 oignons

2 gousses d'ail

120 g de maïs en boîte

4 c.s. d'huile végétale

600 g de viande hachée
(bœuf et porc)

Sel

Poivre

2 c.c. de paprika doux

2 c.s. de purée de tomate

4 petites pommes de terre

500 g de tomates en boîte
hachées

1 c.c. de cumin moulu

Quelques giclées de tabasco

Préparation : 30 minutes
(plus temps de trempage
et de cuisson)
Par portion : 595 kcal / 2499 kJ
P : 34 g, L : 37 g, G : 29 g

1 Faire tremper les haricots dans de l'eau pendant la nuit. Jeter l'eau et cuire 30 minutes environ dans 1 l d'eau, écumer.

2 Éplucher et hacher l'oignon et l'ail. Égoutter le maïs. Chauffer l'huile dans une casserole et faire revenir l'oignon et l'ail. Ajouter la viande hachée et la cuire à feu vif, assaisonner avec sel, poivre et paprika et verser la purée de tomate.

3 Éplucher les pommes de terre et les détailler en quartiers.

4 Ajouter le reste des ingrédients ainsi que les haricots et les pommes de terre, amener à ébullition et laisser frémir 20 minutes environ. Bien relever.

Muffins salés
tricolores

Pour 4 personnes

170 g de farine

2 c.c. de levure chimique

2 œufs

4 c.s. d'huile d'olive

80 ml de lait

1 poivron vert

6 tomates cerises

50 g de mozzarella

Sel

Poivre

½ c.c. de thym séché

Matière grasse pour les
moules à muffins

Préparation : 20 minutes
(plus temps de cuisson)
Par portion : 307 kcal/1 289 kJ
P : 12 g, L : 12 g, G : 36 g

1 Mélanger les 5 premiers ingrédients. Ôter la queue et les graines du poivron, le laver et le couper en petits dés. Laver les tomates et les couper également en dés. Faire de même pour la mozzarella.

2 Incorporer les dés de poivron, de tomate et de mozzarella à la pâte à muffin, saler, poivrer et ajouter le thym.

3 Graisser les moules à muffins. Les remplir chacun aux ²/₃ de pâte et cuire au four préchauffé à 180°C (chaleur tournante, à 160°C) 25 minutes environ.

Boulettes farcies
au tofu

Pour 4 personnes

1 oignon

1 petit pain de la veille mis à tremper

400 g de viande hachée (bœuf et porc)

2 œufs

Sel

Poivre

½ c.c. de paprika doux

1 c.s. de coriandre fraîche hachée

100 g de tofu

4 c.s. d'huile végétale

Préparation : 10 minutes
(plus temps de cuisson)
Par portion : 458 kcal/1923 kJ
P : 28 g, L : 31 g, G : 15 g

1 Éplucher et hacher l'oignon. Presser le petit pain pour en extraire l'eau. Malaxer avec l'oignon, la viande hachée, l'œuf et les épices pour en faire une pâte. Incorporer la coriandre.

2 Façonner 4 boulettes. Couper le tofu en dés et en enfoncer 1 ou 2 morceaux dans chaque boulette. Faire dorer celles-ci à l'huile bien chaude. Les servir avec une sauce aigre-douce.

Tarte aux poireaux
et à l'emmenthal

**Pour 1 moule à tarte
(22 cm Ø)**

Pâte
150 g de farine
100 g de beurre
½ c.c. de sel
1 œuf

Garniture
2 poireaux
1 oignon
50 g de jambon blanc
2 c.s. d'huile d'olive
20 g de farine
150 ml de crème liquide
1 œuf
Sel
Poivre
50 g d'emmenthal frais râpé
Matière grasse pour le
moule

Préparation : 20 minutes
(plus temps de repos et de
cuisson)
Par portion : 184 kcal/772 kJ
P : 4 g, L : 13 g, G : 10 g

1 Préparer la pâte, laisser reposer 30 minutes, en garnir le moule graissé, froncer. Éliminer les feuilles de poireau jaunies, passer les poireaux à l'eau et les couper en rondelles. Éplucher l'oignon et le hacher menu. Couper le jambon en dés.

2 Chauffer l'huile et faire revenir le poireau et l'oignon. Saupoudrer de farine. Mélanger la crème liquide, l'œuf, le jambon, les épices et le fromage et ajouter aux légumes en remuant.

3 Verser sur la pâte en répartissant bien et mettre au four préchauffé à 180 °C (chaleur tournante, à 160 °C) 25 minutes environ.

Galettes d'épeautre vert
au curry

Pour 8 galettes

400 ml de bouillon de légumes

200 g d'épeautre vert grossièrement moulu

1 oignon

1 gousse d'ail

1 poireau

3 c.s. d'huile de colza

2 œufs

½ c.c. de curry

Sel

Poivre

Préparation : 20 minutes (plus temps de repos et de cuisson)
Par portion : 140 kcal/588 kJ
P : 5 g, L : 5 g, G : 18 g

1 Amener le bouillon de légumes à ébullition. Jeter l'épeautre en pluie dans le bouillon et amener à ébullition en tournant. Retirer la bouillie du feu et laisser gonfler 10 minutes.

2 Éplucher l'oignon et l'ail et les hacher menu. Éliminer les feuilles de poireau jaunies, passer le poireau à l'eau et le couper en rondelles fines.

3 Chauffer environ 1 c.s. d'huile dans une poêle antiadhésive, mijoter à couvert le poireau, l'oignon et l'ail.

4 Dans un saladier, verser les légumes, la bouillie d'épeautre et les œufs et les mélanger pour obtenir une préparation homogène. Assaisonner de curry, sel et poivre. Façonner 8 galettes.

5 Réchauffer le reste d'huile dans une poêle antiadhésive et dorer les galettes sur les deux faces pendant 5 minutes.

Salade de tortellinis
aux légumes

Pour 4 personnes

1 grosse aubergine

4 c.c. de gros sel

3 poivrons rouges

2 courgettes moyennes

2 tomates à cuire

400 g de mozzarella

½ botte de persil

500 g de tortellinis de couleur

Sel

Poivre

125 ml d'huile d'olive

Préparation : 30 minutes
(plus temps de dégorgement,
de cuisson et de refroidissement)
Par portion : 543 kcal/2278 kJ
P : 47 g, L : 24 g, G : 33 g

1 Passer l'aubergine à l'eau, la couper en rondelles d'environ 5 mm d'épaisseur. Disposer les rondelles sur un plat, saupoudrer du sel, couvrir, poser un objet lourd dessus et laisser dégorger 1 heure. Rincer puis sécher. Passer les rondelles au grill sur les deux faces pendant environ 4 minutes.

2 Enlever la queue des poivrons, rincer à l'eau, couper en deux, ôter les graines et couper en lanières. Rincer la courgette et la tailler en bâtonnets. Inciser la peau des tomates en croix, les ébouillanter, les peler et les couper en dés. Placer le fromage dans une passoire, l'égoutter et le couper également en dés. Passer le persil à l'eau, le sécher et le hacher finement.

3 Cuire les pâtes selon les indications de l'emballage. Verser dans la passoire, rincer à l'eau froide et bien égoutter. Laisser refroidir.

4 Couper en deux les rondelles d'aubergines cuites et mélanger avec le reste des légumes et la mozzarella. Saler et poivrer. Incorporer le persil et arroser la préparation d'huile d'olive. Ajouter les pâtes et servir.

Salade
de brocoli et chou-fleur

Pour 4 personnes

750 g de brocoli

250 g de chou-fleur

Sel

6 c.s. de vinaigre

Poivre

1 pincée de noix muscade

½ c.c. de sucre

6 c.s. d'huile de noix

Préparation : 30 minutes
(plus temps de cuisson
et de repos)
Par portion : 144 kcal/604 kJ
P : 7 g, L : 8 g, G : 8 g de glucides

1 Éliminer les parties défraîchies du brocoli et du chou-fleur, passer à l'eau et couper en bouquets. Éplucher les branches de brocoli et tailler en lamelles.

2 Plonger le chou-fleur dans de l'eau bouillante salée et cuire environ 5 minutes. Ajouter alors le brocoli et poursuivre la cuisson encore 5 minutes. Égoutter les légumes dans une passoire et recueillir 2 c.s. d'eau de cuisson.

3 Mélanger l'eau de cuisson avec le vinaigre, un peu de sel et de poivre ainsi que la noix muscade et le sucre. Ajouter ensuite l'huile.

4 Mettre tous les composants dans un saladier. Verser la marinade, remuer et laisser reposer la salade 10 minutes. Rectifier l'assaisonnement et servir avec de la baguette bien fraîche.

Roulés de pizza
à la courgette et au jambon

Pour 12 roulés

300 g de farine (type 405)

1 paquet de levure de boulanger sèche

1 pincée de sucre

100 g de fromage fondu aux herbes

Sel

1 oignon

1 petite courgette

50 g de jambon cru en tranches

Farine pour enrouler

5 c.s. de ketchup

Poivre

1 c.s. de thym

100 g de gouda râpé

Préparation : 40 minutes (plus temps de repos et de cuisson)
Par portion : 157 kcal/658 kJ
P : 7 g, L : 5 g, G : 20 g

1 Tamiser la farine dans un saladier et faire un puits au milieu. Ajouter la levure. Saupoudrer d'une pincée de sucre. Couper le fromage fondu en petits dés. Distribuer ½ c.c. de sel et les dés de fromage sur le pourtour du saladier.

2 Verser 125 ml d'eau tiède dans le puits et autour. Travailler le tout au batteur muni d'un crochet de pétrissage ou au robot de cuisine pour obtenir une pâte lisse.

3 Couvrir la pâte d'un linge et la laisser reposer dans un endroit tempéré jusqu'à ce que son volume ait presque doublé.

4 Pendant ce temps, éplucher l'oignon et le hacher finement. Enlever les extrémités de la courgette, la rincer à l'eau et la couper en petits dés. Détailler le jambon en fines lanières. Préchauffer le four à 200°C (chaleur tournante, à 180°C).

5 Étaler la pâte sur un plan de travail saupoudré de farine pour obtenir un rectangle de 20 x 30 cm. Badigeonner la pâte de ketchup, conserver un rebord de 1 cm de largeur.

6 Bien répartir les dés d'oignon et de courgette ainsi que les lanières de jambon sur le ketchup. Saler, poivrer et saupoudrer de thym. Ajouter le gouda râpé. Rouler la pâte à pizza sur la longueur et bien fermer les bords. Couper en 12 tranches. Placer sur une tôle garnie de papier sulfurisé. Laisser reposer encore 10 minutes environ et enfourner à mi-hauteur pendant 20 minutes.

Amanites
farcies

Pour 4 personnes

4 tomates rondes

200 g de salade de légumes,
de riz ou de salade de viande

40 g de mayonnaise en tube

1 barquette de cresson
alénois

Préparation : 15 minutes
Par portion : 111 kcal / 466 kJ
P : 2 g, L : 9 g, G : 4 g

1 Rincer les tomates et les sécher. Couper légèrement la face inférieure et ôter le pédoncule.
Couper les chapeaux.

2 Vider délicatement les tomates à la cuillère et
les remplir de la salade de légumes, de riz ou
de viande.

3 Reposer les chapeaux sur les tomates farcies
et ajouter les points caractéristiques du cha-
peau à la mayonnaise.

4 Couper le cresson et le passer à l'eau. Dresser
le cresson et les tomates-amanites sur une
planche en bois.

Conseil : les amanites sont encore plus sympas
quand on utilise des tomates cerises.

Salade de tortellinis
au thon

Pour 4 personnes

500 g de tortellinis

Sel

1 petit oignon

½ botte de basilic

4 c.s. d'olives noires
dénoyautées

4 tomates à cuire

2 poivrons jaunes

300 g de thon en boîte dans
son jus

4 c.s. de vinaigre

4 c.s. d'huile d'olive

Poivre gris

Préparation : 40 minutes
(plus temps de repos)
Par portion : 665 kcal/2793 kJ
P : 24 g, L : 21 g, G : 91 g

1 Cuire les tortellinis dans une grande casserole d'eau bouillante salée selon les indications de l'emballage. Verser l'eau de cuisson, rincer à l'eau froide et laisser refroidir.

2 Éplucher l'oignon et le hacher menu. Passer le basilic à l'eau, bien le secouer, l'effeuiller et ciseler finement les feuilles. Couper les olives en rondelles.

3 Laver les tomates, inciser en croix, ébouillanter rapidement et peler, puis couper en dés. Enlever la queue des poivrons et les graines, les rincer et les couper en fines rondelles.

4 Égoutter le thon et l'émietter à la fourchette. Verser les tortellinis, les légumes, l'oignon et le basilic dans un saladier avec le thon et bien mélanger.

5 Faire une vinaigrette avec le vinaigre, l'huile, le poivre et le sel et la verser sur la salade. Réserver la salade 1 heure au réfrigérateur et rectifier l'assaisonnement pour terminer.

Salade de riz
à l'avocat

Pour 4 personnes

200 g de mélange riz-riz sauvage

Sel

300 g de tomates cerises

1 poivron jaune

1 botte de ciboules

½ botte de persil plat

120 g de gouda mi-vieux

4 à 6 c.s. de huile de soja

Jus d'un citron

Poivre

1 avocat

Préparation : 20 minutes
(plus temps de repos)
Par portion : 522 kcal / 2 192 kJ
P : 13 g, L : 32 g, G : 44 g

1 Cuire le riz dans une grande quantité d'eau salée selon les indications de l'emballage, verser dans une passoire et égoutter. Rincer les tomates cerises, les couper et en retirer les pédoncules. Enlever la queue du poivron, ôter les graines, passer à l'eau et couper en petits dés.

2 Rincer les ciboules, enlever les parties défraîchies et couper en lamelles. Passer le persil à l'eau, secouer, effeuiller et hacher finement.

3 Retirer la croûte du gouda et le détailler en petits cubes. Mélanger vigoureusement l'huile de soja et le jus de citron, saler et poivrer.

4 Éplucher l'avocat, le couper en deux, retirer le noyau et couper la chair en petits dés.

5 Mélanger le riz avec les tomates, le poivron, l'avocat, les cives, le persil et les dés de fromage. Incorporer la sauce et réserver la salade couverte au moins 30 minutes au frais. Pour terminer, rectifier l'assaisonnement de la salade.

Taboulé

typiquement arabe

Pour 4 personnes

200 g de boulgour

1 botte de persil plat

4 brins de menthe fraîche

½ concombre

4 ciboules

2 tomates charnues

Jus de 2 citrons

4 c.s. d'huile d'olive

Sel

Poivre gris

Préparation : 20 minutes
(plus temps de repos)
Par portion : 308 kcal / 1291 kJ
P : 6 g, L : 13 g, G : 42 g

1. Cuire le boulgour 10 minutes environ dans ½ l d'eau, retirer du feu et laisser gonfler 20 minutes.

2. Pendant ce temps, passer le persil et la menthe à l'eau, bien les secouer et les hacher.

3. Éplucher le concombre et le couper en petits dés. Enlever les parties abîmées des ciboules, les passer à l'eau et les hacher menu.

4. Rincer les tomates et retirer les pédoncules puis détailler également la chair en petits dés.

5. Passer une fourchette dans le boulgour pour séparer les grains. Mélanger avec les légumes et les herbes dans un saladier.

6. Mélanger le jus de citron et l'huile avec le sel et le poivre et verser sur la préparation aux légumes. Laisser reposer au moins 1 heure, bien remuer une nouvelle fois et servir.

Conseil : au lieu de boulgour, on peut utiliser de la semoule de couscous pour préparer le taboulé. On peut aussi varier à l'infini les légumes utilisés.

Drumsticks au miel
et aux ciboules

Pour 8 personnes

6 c.s. de miel liquide

6 c.s. de ketchup

1 c.s. de sauce de soja

1 piment rouge

1 gousse d'ail

150 g de ciboules

1,5 kg cuisses de poulet
(drumsticks)

Préparation : 20 minutes
(plus temps de marinade
et de cuisson)
Par portion : 365 kcal / 1 533 kJ
P : 35 g, L : 21 g, G : 9 g

1 Pour la marinade, bien mélanger le miel et le ketchup avec la sauce de soja dans un grand saladier. Épépiner le piment, le rincer et le hacher menu, éplucher l'ail et le passer au presse-ail, couper les tiges des ciboules, les passer à l'eau et les tailler en lamelles. Tout mélanger.

2 Passer les cuisses de poulet à l'eau, les éponger et les placer dans la marinade. Retourner les cuisses au bout de 2 heures, couvrir et laisser mariner toute la nuit au frais.

3 Le jour J, sortir les drumsticks de la marinade, les disposer sur une tôle garnie de papier sulfurisé et mettre au second niveau à partir du bas dans le four préchauffé à 200 °C (chaleur tournante, à 180 °C) pendant 30 à 35 minutes.

Salade de pommes de terre
aux pommes et aux lardons

Pour 4 personnes

1 kg de pommes de terre
non farineuses

Sel

2 œufs

2 pommes aigrelettes

1 c.s. de jus de citron

1 oignon

6 cornichons

100 g de lardons

150 g de yaourt

100 g de mayonnaise

6 c.s. de vinaigre

Poivre

¼ c.c. de paprika

Préparation : 30 minutes
(plus temps de cuisson
et de repos)
Par portion : 520 kcal/2 184 kJ
P : 15 g, L : 28 g, G : 48 g

1 Rincer les pommes de terre à l'eau, les gratter et les cuire à l'eau légèrement salée. Laisser refroidir les pommes de terre, les peler et les couper en rondelles. Cuire les œufs jusqu'à ce qu'ils soient durs, les passer à l'eau froide, les écaler et les couper en petits dés.

2 Pendant ce temps, éplucher les pommes, retirer le cœur et les couper également en petits dés. Arroser du jus de citron. Éplucher l'oignon et le hacher menu. Couper les cornichons en dés. Griller les lardons à sec dans une poêle antiadhésive (sans ajout de matière grasse) jusqu'à ce qu'ils soient bien croquants.

3 Mélanger le yaourt à la mayonnaise. Ajouter ensuite le vinaigre et assaisonner la sauce avec sel, poivre et paprika.

4 Mélanger les rondelles de pommes de terre avec les autres composants de la salade et incorporer la sauce en remuant. Réserver la salade au moins 2 heures au frais.

Wraps tex mex
à l'avocat

Pour 4 personnes

2 tomates

1 poivron jaune

1 céleri branche

2 petits avocats mûrs

2 c.s. de jus de citron

2 c.s. de yaourt

3 c.s. de coriandre ou de persil plat haché

Sel

Poivre gris fraîchement moulu

4 tortillas (toutes prêtes)

Préparation : 25 minutes
Par portion : 388 kcal / 1630 kJ
P : 7 g, L : 28 g, G : 29 g

1 Rincer les tomates, retirer le pédoncule et couper en dés. Enlever la queue du poivron, passer à l'eau, couper en deux, ôter les graines et couper en petits dés. Éplucher le céleri branche, rincer et couper aussi en petits dés.

2 Éplucher les avocats, couper en deux dans le sens de la longueur et retirer le noyau. Couper 1 avocat en petits dés, écraser l'autre soigneusement à la fourchette avec le jus de citron et le yaourt.

3 Mélanger rapidement la purée d'avocat, les dés d'avocat et de légumes et les herbes aromatiques hachées puis saler et poivrer.

4 Réchauffer légèrement les tortillas dans une poêle non graissée selon les indications de l'emballage et les farcir de la préparation aux légumes. Rouler les tortillas en serrant bien et les couper en biais. Les dresser verticalement dans des verres décoratifs pour servir.

Barquette de salade
aux boulettes de fromage

Pour 12 boulettes

450 g de fromage frais crémeux

Sel

Poivre

Paprika doux

1 botte de ciboulette

1 botte d'aneth

½ botte de radis

1 grande feuille de laitue romaine

Préparation : 30 minutes
Par portion : 130 kcal/546 kJ
P : 4 g, L : 11 g, G : 1 g

1 Assaisonner le fromage de sel, poivre et paprika en incorporant soigneusement les épices. Réserver ensuite au frais.

2 Passer la ciboulette et l'aneth à l'eau et éponger. Ciseler finement la ciboulette et hacher menu l'aneth. Enlever les queues des radis, les rincer à l'eau et les hacher finement.

3 S'humidifier les mains et former 12 boulettes de fromage frais et les rouler pour ⅓ dans la ciboulette, pour ⅓ dans l'aneth et pour ⅓ dans les radis.

4 Déposer la feuille de salade sur un petit plat de service pour former une barquette et déposer les boulettes de fromage à l'intérieur.

Conseil : si vous le voulez, vous pouvez réaliser de petits drapeaux avec des cure-dents, de petits morceaux de salade, des lanières de poivron ou de petites tranches de fromage et les ficher dans les boulettes.

Petites douceurs

Muffins aux myrtilles
et au babeurre

Pour 6 muffins

60 g de beurre

85 g de sucre

½ c.c. de sucre vanillé

1 petit œuf

60 ml de babeurre

¼ c.c. de zeste râpé
d'un citron non traité

110 g de farine

10 g de farine de maïs

½ c.c. de levure chimique

¼ c.c. de sel

1 pincée de cannelle

Matière grasse pour les
moules ou moules en papier

125 g de myrtilles fraîches
ou surgelées

Préparation : 20 minutes
(plus temps de cuisson)
Par portion : 229 kcal/961 kJ
P : 3 g, L : 9 g, G : 32 g

1 Faire fondre le beurre et mélanger avec 75 g de sucre et le sucre vanillé. Ajouter l'œuf et le babeurre puis le zeste. Mélanger la farine avec la farine de maïs, la levure chimique, le sel et la cannelle et incorporer à la préparation.

2 Préchauffer le four à 180 °C (chaleur tournante, à 160 °C). Graisser les moules ou les garnir de petits moules en papier.

3 Trier les myrtilles, les passer à l'eau et bien les égoutter. Ne pas faire décongeler les myrtilles surgelées. Incorporer les fruits à la pâte. Remplir les moules aux ²/₃ de pâte et saupoudrer du reste de sucre.

4 Enfourner les muffins à mi-hauteur pendant 25 minutes jusqu'à ce qu'ils prennent une belle couleur brun doré et soient cuits.

Pommes bonne-femme
aux noisettes

Pour 2 personnes

2 pommes moyennes
(Boskoop si possible)

1 c.s. de raisins secs

1½ c.s. de jus d'orange

1 c.s. de noisettes hachées
grossièrement

½ pincée de cannelle

1 c.s. de miel

Beurre pour le plat

Préparation : 10 minutes
(plus temps de cuisson)
Par portion : 132 kcal/554 kJ
P : 1 g, L : 4 g, G : 23 g

1 Passer les pommes à l'eau et retirer le cœur avec un vide-pomme.

2 Faire tremper rapidement les raisins secs dans le jus d'orange puis les égoutter.

3 Mélanger noisettes, cannelle, miel et raisins secs. Préchauffer le four à 180°C (chaleur tournante, à 160°C).

4 Beurrer un plat peu profond allant au four. Placer les pommes à l'intérieur et les farcir du mélange de noisettes et de raisins secs.

5 Enfourner 30 minutes environ. Servir accompagné d'une sauce à la vanille selon le goût.

Conseil : les pommes font partie des fruits les plus souvent consommés. Leur attrait provient certainement de leur grande diversité de goût. La Belle de Boskoop est une variété importante à la teneur en vitamine C particulièrement élevée.

Soupe froide de babeurre
aux fruits

Pour 2 personnes

250 ml de babeurre

150 g de yaourt

2 c.s. de flocons d'avoine tendres

2 c.s. de miel

125 g de framboises

1 pêche

2 brins de menthe fraîche

Préparation : 10 minutes
Par portion : 239 kcal / 1 003 kJ
P : 9 g, L : 4 g, G : 37 g

1 Mélanger le babeurre avec le yaourt, les flocons d'avoine et le miel. Rincer rapidement les framboises et les éponger. Passer la pêche à l'eau, la couper en deux et retirer le noyau. Détailler les deux moitiés en dés.

2 Verser la préparation au babeurre dans 2 coupes et répartir les framboises et les dés de pêche. Décorer de menthe.

Coupe de fruits rouges
à la vanille

Pour 2 personnes

100 g de fruits rouges surgelés

20 g de sucre

Graines d'$\frac{1}{3}$ de gousse de vanille

½ c.s. rase de fécule

1 petite c.s. de jus d'orange

40 g de crème liquide

80 g de fromage blanc à 40 % M. G.

1 petite c.s. de sirop de framboise

Préparation : 30 minutes
(plus temps de refroidissement)
Par portion : 171 kcal/718 kJ
P : 6 g, L : 7 g, G : 17 g

1 Verser $\frac{2}{3}$ des fruits dans une petite casserole avec le sucre et les graines de vanille et porter à ébullition.

2 Bien remuer la fécule et le jus d'orange pour obtenir un mélange sans grumeaux, ajouter aux fruits et faire bouillir rapidement pour que la préparation épaississe. Retirer du feu, ajouter le reste des fruits et laisser refroidir.

3 Pendant ce temps, battre la crème en chantilly. L'incorporer au fromage blanc et sucrer avec le sirop de framboise.

4 En alternant, remplir des verres décoratifs de fromage blanc et de la préparation aux fruits. Réserver 2 heures au frais.

Crumble de prune
tout chaud

Pour 2 personnes

250 g de prunes

Beurre pour le moule

1 c.c. de cannelle

50 g de sucre

50 g de beurre

50 g de farine de froment complète

50 g de farine (type 405)

Préparation : 30 minutes
(plus temps de cuisson)
Par portion : 435 kcal/1827 kJ
P : 4 g, L : 21 g, G : 55 g

1 Rincer les prunes, les couper en deux et les dénoyauter. Couper les grosses prunes en quatre. Beurrer légèrement un petit plat peu profond allant au four. Déposer les prunes dans le moule en les serrant bien.

2 Préchauffer le four à 200 °C (chaleur tournante, à 180 °C). Saupoudrer les fruits d'¾ d'un c.c. de cannelle et d'un c.s. de sucre.

3 Couper le beurre en dés, mélanger les deux types de farine, mettre dans un saladier avec le reste de sucre et la cannelle et bien remuer. Ajouter le beurre et malaxer le tout pour obtenir une structure sableuse. Répartir sur les prunes.

4 Mettre dans le bas du four préchauffé pendant 30 minutes environ.

Conseil : le crumble peut se préparer dès le matin. Disposer les prunes en couches dans le plat allant au four et conserver au frais la préparation à base de farine dans une boîte distincte.

Tarte aux carottes
nappée de fromage frais

Pour 12 parts

250 g de carottes

3 œufs

165 g de beurre ramolli

½ c.c. de cannelle

½ c.c. de noix muscade râpée

½ c.c. de clou de girofle moulu

1 paquet de sucre vanillé

225 g de cassonade

Sel

50 g de noix ou noix de pécan en poudre

100 g d'amandes en poudre

175 g de farine

50 g de fécule

1 paquet de levure chimique

Matière grasse pour le moule

40 g de graisse de coco

100 g de fromage frais

250 g de sucre en poudre

1 à 2 c.s. de sirop de vanille

Préparation : 25 minutes
(plus temps de cuisson)
Par portion : 514 kcal / 2159 kJ
P : 7 g, L : 29 g, G : 56 g

1 Préchauffer le four à 175° C (chaleur tournante, à 155° C). Couper les extrémités des carottes, éplucher et râper. Séparer les blancs des jaunes d'œufs. Battre 125 g de beurre en pommade avec les épices et le sucre, puis ajouter les jaunes. Battre les blancs en neige avec 1 pincée de sel et incorporer délicatement avec les carottes et les noix. Pour terminer, ajouter en tournant les amandes, la farine, la fécule, la levure chimique et 1 pincée de sel à la pâte.

2 Graisser le moule (Ø 26 cm), remplir de la pâte, lisser et enfourner 45 minutes environ.

3 Pour le nappage, mélanger le reste de beurre avec la graisse de coco et le fromage frais, saupoudrer du sucre glace tamisé, incorporer le sirop de vanille. Bien mélanger le tout et en badigeonner la tarte aux carottes froide.

Salade de fruits
au miel

Pour 2 personnes

½ petit melon (200 g)

75 g de raisins

200 g de fraises

1 c.s. de jus de citron

1 c.s. de miel

Éventuellement un peu de mélisse citronnelle pour la décoration

Préparation : 15 minutes
Par portion : 111 kcal/446 kJ
P : 2 g, L : 1 g, G : 24 g

1 Couper le melon en deux, l'épépiner et faire des boules à la cuillère parisienne (ou débarrasser le melon de sa peau et de ses graines puis couper la chair en dés). Passer les raisins à l'eau et couper les grains en deux. Rincer les fraises, retirer les queues et les couper éventuellement en deux.

2 Mélanger tous les fruits. Ajouter le jus de citron et le miel et remélanger.

3 Dresser la salade et décorer selon le goût.

Gâteau marbré
d'autrefois

Pour 1 moule à cake

250 g de beurre

275 g de sucre

1 paquet de sucre vanillé

4 œufs

2 c.s. de rhum

500 g de farine

1 pincée de sel

1 paquet de levure chimique

125 ml de lait

Matière grasse pour le moule

30 g de cacao

2 c.s. de lait

Sucre glace

Préparation : 20 minutes
(plus temps de cuisson)
Par portion : 438 kcal / 1839 kJ
P : 7 g, L : 21 g, G : 54 g

1 Battre le beurre avec le sucre et le sucre vanillé jusqu'à ce que le mélange blanchisse. Ajouter œufs et rhum. Mélanger la farine, le sel et la levure chimique et ajouter aux autres ingrédients. Verser 125 ml de lait dans la préparation.

2 Remplir aux ⅔ de la pâte un moule à cake graissé. Mélanger le reste de pâte avec le cacao et 2 c.s. de lait. Verser sur la pâte claire et incorporer à la fourchette en faisant un mouvement en spirale.

3 Cuire le gâteau pendant 1 heure environ au four préchauffé à 175 °C (chaleur tournante, à 155 °C). Saupoudrer de sucre glace.

Tarte exotique
aux fruits

**Pour 1 moule
(24 cm Ø)**

5 jaunes d'œufs
5 blancs d'œufs
100 g de farine
1 c.c. de levure chimique
50 g de sucre
1 pincée de sel
65 g de fécule
65 g de beurre
Matière grasse pour le
moule

Garniture
6 feuilles de gélatine
blanche mises à tremper
1 boîte de crème de coco
250 ml de crème liquide
4 tranches d'ananas
1 boîte de mandarines
2 kiwis
2 bananes
½ paquet de nappage
125 ml de jus d'ananas
1 c.s. de sucre

Préparation : 30 minutes
(plus temps de cuisson et
de refroidissement)
Par portion : 252 kcal/1 058 kJ
P : 4 g, L : 16 g, G : 22 g

1 Battre les jaunes d'œufs avec 5 c.s. d'eau. Battre les blancs en neige. Préparer une pâte à partir de tous les ingrédients et cuire environ 15 minutes au four préchauffé à 200 °C (chaleur tournante, à 180 °C) et laisser refroidir.

2 Extraire le surplus de liquide de la gélatine et mélanger à la crème de coco. Battre la crème en chantilly et l'incorporer. Verser la préparation sur le fond de tarte et lisser.

3 Égoutter l'ananas et les mandarines. Éplucher les kiwis et les bananes, les couper en rondelles. Répartir les fruits sur la crème. Préparer un nappage à partir de la poudre, du jus et du sucre selon les indications de l'emballage et verser sur les fruits. Réserver au frais jusqu'à ce que le nappage se soit solidifié.

Muffins à la pomme
et aux raisins secs

Pour 2 muffins

40 g de farine de froment complète

1 c.s. de son de blé

1 c.c. de levure chimique

1 pincée de cannelle en poudre

10 g de beurre

1 petit œuf

40 g de miel

15 ml de lait

½ pomme

20 g de raisins secs

½ c.c. de rhum

2 moules à muffin en papier

Préparation : 15 minutes
(plus temps de cuisson)
Par portion : 157 kcal/659 kJ
P : 3 g, L : 4 g, G : 24 g

1 Mélanger la farine avec le son, la levure chimique et la cannelle. Battre le beurre, l'œuf et le miel jusqu'à ce que le mélange blanchisse. Ajouter le lait. Ajouter la préparation à la farine.

2 Éplucher la pomme, l'épépiner et la couper en dés. Arroser les raisins secs de rhum et les incorporer à la pâte. Verser dans 2 moules à muffin en papier et cuire au four préchauffé à 180 °C (chaleur tournante, à 160 °C) pendant 20 minutes environ.

Tarte
aux pommes

**Pour 1 plat à tarte
(environ 12 parts)**

125 g de beurre

100 g de sucre

1 œuf

250 g de farine de froment

750 g de pommes

4 c.s. de confiture d'abricot

Matière grasse pour le moule

Préparation : 25 minutes
(plus temps de repos et de cuisson)
Par portion : 230 kcal/966 kJ
P : 2 g, L : 9 g, G : 32 g

1 Préparer une pâte avec le beurre, le sucre, l'œuf et la farine, la rouler en boule et laisser reposer 30 minutes environ au frais.

2 Éplucher les pommes, les évider au vide-pomme et les couper en fines lamelles. Graisser le plat à tarte. Étaler la pâte et en garnir le moule.

3 Disposer les pommes sur la pâte en les serrant bien. Badigeonner de confiture d'abricot liquide et cuire environ 25 minutes au four préchauffé à 170 °C (chaleur tournante, à 150 °C).

Muffins aux framboises
et noisettes

Pour 2 muffins

60 g de farine

½ c.c. de levure chimique

1 pincée de sel

10 g de sucre

50 ml de lait

1 petit œuf

25 ml d'huile de tournesol

50 g de framboises

1 c.s. de noisettes hachées

2 moules à muffin en papier

Sucre glace

Préparation : 15 minutes
(plus temps de cuisson)
Par portion : 181 kcal/760 kJ
P : 4 g, L : 9 g, G : 19 g

1 Mélanger la farine avec la levure chimique, le sel et le sucre. Battre le lait avec l'œuf et l'huile. Tout mélanger pour réaliser une pâte.

2 Trier les framboises, les passer à l'eau et les égoutter. Incorporer à la pâte avec les noisettes. Répartir la pâte dans les 2 moules à muffin en papier et cuire environ 25 minutes au four préchauffé à 200 °C (chaleur tournante, à 180 °C). Saupoudrer de sucre glace.

Mini-tours de glace
aux myrtilles

Pour 2 personnes

Sucre glace

6 biscuits ronds aux noix

4 boules de crème glacée

100 g de myrtilles

Mélisse citronnelle pour la décoration

Préparation : 30 minutes
Par portion : 360 kcal / 1512 kJ
P : 5 g, L : 18 g, G : 42 g

1 Saupoudrer 2 grandes assiettes à dessert de sucre glace. Disposer 1 biscuit aux noix au milieu d'une assiette et placer dessus 1 boule de glace légèrement fondante. Couvrir la glace d'un nouveau biscuit, puis rajouter 1 boule de glace et coiffer le tout d'1 biscuit aux noix. Refaire l'opération avec la seconde assiette.

2 Trier les myrtilles, les passer à l'eau et en décorer les mini-tours. Décorer de feuilles de mélisse citronnelle selon le goût et saupoudrer légèrement de sucre glace pour terminer.

Conseil : à la place des myrtilles, il est possible de prendre d'autres fruits rouges ou des lamelles de mangue taillées très finement.

Roulés au chocolat
et à la noix de coco

Pour 6 roulés

2 plaques de pâte feuilletée surgelée

75 g de tartinade au chocolat et noisette

3 c.s. de noix de coco râpée

1 petit œuf

1 c.s. de lait

Un peu de chocolat de couverture blanc

Papier sulfurisé pour la tôle

Préparation : 20 minutes
(plus temps de cuisson et de refroidissement)
Par portion : 234 kcal/982 kJ
P : 3 g, L : 17 g, G : 17 g

1. Décongeler les plaques de pâte feuilletée selon les indications de l'emballage, les étaler et les couper chacune en 3 rectangles.

2. Mélanger la tartinade avec la noix de coco râpée. Séparer le blanc d'œuf du jaune et battre le jaune avec le lait. Préchauffer le four à 200 °C (chaleur tournante, à 180 °C).

3. Étaler 1 c.c. de tartinade au chocolat sur chaque rectangle. Badigeonner les rebords de blanc d'œuf, rabattre les côtés et rouler.

4. Badigeonner les roulés avec le jaune d'œuf, disposer sur une tôle garnie de papier sulfurisé et enfourner 13 minutes environ.

5. Laisser refroidir les pâtisseries et les décorer du chocolat blanc fondu.

Pudding aux cerises
de grand-mère

Pour 2 personnes

100 g de pain (de la veille)

400 ml de lait

1 œuf

25 g de beurre

30 g de sucre

1 c.c. de zeste de citron râpé

300 g de cerises

Beurre pour le plat

½ c.c. de cannelle

¼ de paquet de flan à la vanille

1 c.s. de sucre

Préparation : 30 minutes
(plus temps de cuisson)
Par portion : 575 kcal/2415 kJ
P : 15 g, L : 22 g, G : 75 g

1 Couper le pain en tranches de l'épaisseur d'un doigt, les disposer dans un plat et imbiber de 150 ml de lait tiède. Séparer le blanc du jaune d'œuf. Préchauffer le four à 200 °C (chaleur tournante, à 180 °C).

2 Battre 15 g de beurre avec 20 g de sucre, le jaune d'œuf et le zeste de citron râpé jusqu'à ce que le mélange blanchisse. Verser la préparation sur le pain. Passer les cerises à l'eau, les dénoyauter et les incorporer. Battre les blancs en neige et les incorporer au pudding.

3 Beurrer un plat allant au four et le remplir de la préparation au pain et aux cerises. Répartir le reste du beurre en noisettes sur le pudding et saupoudrer de cannelle. Mettre à mi-hauteur dans le four préchauffé et cuire 45 minutes.

4 Amener le reste du lait à ébullition. En prélever 3 c.s. et remuer avec la poudre de flan à la vanille et le reste de sucre en veillant à ne pas faire de grumeaux. Reverser le tout dans le lait bouillant et réchauffer jusqu'à obtention de quelques gros bouillons. Servir la sauce à la vanille avec le pudding aux cerises.

Conseil : on peut aussi ajouter au pudding 2 c.s. d'amandes effilées, ce qui lui donne une autre note.

Apple pie
sucré et juteux

Pour 1 plat à tarte (28 cm Ø)
(environ 12 parts)

250 g de farine

1 c.c. de sel

190 g de graisse de coco

Beurre pour le moule

1 blanc d'œuf

6 à 8 pommes

2 c.s. de jus de citron

2 c.s. de sirop d'érable

100 à 150 g de cassonade

1 c.s. de fécule

1 c.c. de cannelle

1 pincée de noix muscade
râpée

1 pincée de clou de girofle en
poudre

2 c.s. de noisettes de beurre

Préparation : 30 minutes
(plus temps de repos et de
cuisson)
Par portion : 228 kcal/959 kJ
P : 3 g, L : 10 g, G : 32 g

1 Mélanger la farine et le sel, ajouter la graisse de coco par petits morceaux jusqu'à obtenir une structure sableuse. Ajouter 4 c.s. d'eau glacée tout en continuant à travailler au fouet électrique pour obtenir une pâte plus homogène.

2 Sortir la pâte du saladier, façonner 2 pâtons, les couvrir et réserver 1 heure environ au frais.

3 Étaler ensuite 1 pâton sur une épaisseur de 3 mm de manière à ce qu'il soit un peu plus grand que le moule. Le plier et le déposer dans le moule graissé. Le déplier et former un bord d'environ 3 cm de hauteur. Battre le blanc d'œuf avec un peu d'eau et en badigeonner le fond et le bord. Etaler également le second pâton.

4 Préchauffer le four à 225 °C (chaleur tournante, à 200 °C). Rincer les pommes, les éplucher, les évider et couper la chair en lamelles. Dans un saladier, mélanger les lamelles de pomme avec le jus de citron, le sirop d'érable, le sucre, la fécule et les épices.

5 Verser la préparation aux pommes sur la pâte, garnir d'1 c.s. de noisettes de beurre. Poser dessus le second disque de pâte, bien souder les bords. Garnir des noisettes de beurre restantes. Percer quelques trous pour permettre à la vapeur de s'échapper. Cuire 10 minutes environ puis réduire la température à 180 °C (chaleur tournante, à 160 °C) et poursuivre la cuisson 40 à 45 minutes.

Triangles aux noisettes
et à la confiture d'abricot

Pour 20 triangles

150 g de farine

150 g de sucre

165 g de beurre

1 œuf

1 paquet de sucre vanillé

50 g de noisettes en poudre

50 g de noisettes effilées

100 g d'amandes hachées

3 à 4 c.s. de confiture d'abricot

25 g de chocolat de couverture

Préparation : 30 minutes
(plus temps de repos et de cuisson)
Par portion : 187 kcal/785 kJ
P : 2 g, L : 12 g, G : 15 g

1 Placer la farine, 50 g de sucre, 65 g de beurre et l'œuf dans un saladier, travailler d'abord au batteur muni d'un crochet de pétrissage, puis à la main, pour obtenir une pâte ferme. Laisser reposer 1 heure au frais.

2 Étaler la pâte sur une tôle garnie de papier sulfurisé. Préchauffer le four à 180°C (chaleur tournante, à 160°C). Pour la garniture, faire fondre le reste de beurre dans une casserole, ajouter le reste de sucre et le sucre vanillé ainsi que 2 c.s. d'eau puis amener le tout à ébullition. Ajouter ensuite noisettes et amandes.

3 Badigeonner la pâte de la confiture d'abricot puis répartir la préparation à base de noisettes et amandes sur la pâte. Enfourner ensuite à mi-hauteur pendant 45 minutes environ. Laisser refroidir, découper d'abord des carrés puis chacun en deux pour obtenir des triangles.

4 Hacher grossièrement le chocolat, fondre au bain-marie et en décorer les triangles.

Flammeris de semoule
à la compote d'abricot

Pour 2 personnes

250 ml de lait

2 c.s. de sucre

1 pincée de cannelle

30 g de semoule

1 œuf

Sel

250 g d'abricots

1 c.s. de jus de poire

Préparation : 30 minutes
(plus temps de refroidissement)
Par portion : 255 kcal/1071 kJ
P : 10 g, L : 8 g, G : 33 g

1 Porter le lait à ébullition dans une petite casserole. Dissoudre le sucre dans le lait et ajouter la cannelle. Verser la semoule dans le mélange et cuire à petit feu en tournant constamment jusqu'à ce qu'elle épaississe.

2 Laisser refroidir un peu la semoule. Séparer le blanc du jaune d'œuf. Ajouter le jaune à la semoule, battre le blanc en neige avec 1 pincée de sel et incorporer à la semoule.

3 Rincer 2 ramequins à l'eau froide et les remplir de la préparation à base de semoule.

4 Passer les abricots à l'eau. Sécher, couper en deux, dénoyauter et couper en petits morceaux. Verser les morceaux d'abricots dans une casserole avec le jus de poire et 1 c.s. d'eau et chauffer. Laisser frémir 2 à 3 minutes et réduire en compote au mixeur plongeant. Laisser refroidir.

5 Répartir la compote sur des assiettes. Passer la lame d'un couteau le long du rebord intérieur des ramequins. Renverser les flammeris et dresser sur la compote d'abricot.

Index des recettes

A

Amanites farcies   185
Apple pie sucré et juteux   232

B

Ballotines de sole
en sauce à l'aneth
et aux crevettes   151
Barquette de salade
aux boulettes de fromage   198
Barres de muesli aux fruits secs   23
Bâtonnets de mozzarella
aux herbes   20
Bâtonnets de sésame au miel   24
Boeuf Stroganoff
aux champignons de Paris   162
Boudins de viande hachée
à la ratatouille   127
Boulettes aux champignons
et aux herbes aromatiques   57
Boulettes de viande hachée farcies
au poivron et au fromage   110
Boulettes farcies au tofu   173
Brochette de poulet aux amandes   58
Burger de millet à l'aneth   19

C

Ćevapčići au tzatziki   120
Chili con Carne au hachis
et aux pommes de terre   168
Coupe de fruits rouges à la vanille   208
Crudités et trempette   26

Crumble de prune tout chaud   211
Cuisses de poulet au four   122
Cuisses de poulet pimentées   166

D

Drumsticks au miel et aux ciboules   192

E

Escalope panée classique   62

F

Feuilletés au hachis   152
Filet de porc à la sauce gorgonzola   161
Filet de sébaste
en croûte aux herbes   146
Flammeris de semoule
à la compote d'abricot   236

G

Galette aux légumes variés   12
Galettes d'épeautre vert au curry   176
Galettes rapides de poisson
à l'aneth   72
Gâteau marbré d'autrefois   216
Goulasch de pommes de terre
à la poitrine et aux saucisses   133
Gratin de macaronis au jambon   61
Gratin de poisson
aux pommes de terre   156

H

Hachis aux légumes et au riz   128

Hamburger très classique 48

Hot-dog au fromage 54

L

Lasagnes à la viande hachée 1108

M

Mini-tours de glace aux myrtilles 226

Muffins à la pomme
et aux raisins secs 220

Muffins aux framboises
et noisettes 224

Muffins aux myrtilles
et au babeurre 202

Muffins salés tricolores 170

O

Œufs brouillés
à la courgette et au poivron 29

Œufs brouillés
avec et sans herbes 105

Omelette
aux champignons de Paris 78

P

Panés de poisson à la salade 36

Pâtes au parmesan
et au beurre roux 94

Paupiettes de bœuf
à la poitrine et aux cornichons 158

Paupiettes de dinde au pesto 74

Pennes
à la sauce de légumes froide 47

Petit pain à l'avocat et à la tomate 41

Petit pain complet
et jambon de dinde 35

Petit-déjeuner anglais
aux saucisses et au bacon 14

Pizza au pain suédois
et aux légumes 44

Poêlée de légumes à l'œuf 69

Poêlée de légumes au riz 85

Poêlée de riz au filet de dinde 130

Poivrons farcis
au riz et aux légumes 116

Pommes bonne-femme
aux noisettes 205

Pommes de terre en papillotes
au beurre de tomate 93

Pommes de terre
et fromage blanc aux herbes 82

Potée au chou de Milan
et aux pâtes 136

Potée de lentilles
aux petites saucisses fumées 138

Poulet à l'italienne 155

Poulet cordon bleu 119

Pudding aux cerises
de grand-mère 231

R

Riz minute aux tomates 64

Röstis de légumes
au yaourt et aux herbes 90

Roulés au chocolat
et à la noix de coco 229

Roulés de pizza
à la courgette et au jambon 182

S

Salade bavaroise au cervelas 102

Salade de betterave rouge
au raifort 32

Salade de brocoli et chou-fleur 180

Salade de fruits au miel 215

Salade de pommes de terre
aux pommes et aux lardons 194

Salade de riz à l'avocat 188

Salade de pomme de terre
à la roquette et aux lardons 38

Salade de tortellinis au thon 186

Salade de tortellinis aux légumes 179

Salade de vermicelles chinois
au poulet et aux cacahuètes 142

Salade tonique aux pousses de soja 30

Saumon frit sur lit d'asperges 148

Soupe aux épinards
et à l'épeautre vert 66

Soupe aux petits légumes 135

Soupe de pommes de terre
à la roquette 97

Soupe froide
au yaourt et au concombre 53

Soupe froide de babeur aux fruits 206

Spaghettinis aux épinards
et au piment 98

Spaghettis à la carbonara 114

Spaghettis à la farine complète
au brocoli 70

Spaghettis aglio olio 86

Spaghettis bolognaise 124

Strudel de légumes
au cottage cheese 145

T

Taboulé typiquement arabe 191

Tagliatelles au pesto 50

Tarte aux carottes
nappée de fromage frais 212

Tarte aux poireaux
et à l'emmenthal 174

Tarte aux pommes 223

Tarte exotique aux fruits 218

Toast au thon,
aux tomates et au fromage 88

Toast aux pâtes,
au salami et au jambon 16

Toast Hawaï
à l'ananas et au jambon 100

Tortilla au four 113

Triangles aux noisettes
et à la confiture d'abricot 234

V

Velouté de carotte au gros lait 77

W

Wraps tex mex à l'avocat 197